l'horloge = clock

Shan Sa

Les quatre vies du saule

Gallimard

Shan Sa est née à Pékin en 1972. Elle quitte la Chine pour Paris en 1990 et le chinois pour la langue française. Son premier roman, *Porte de la Paix céleste* (Folio n° 3316) a reçu la bourse Goncourt du premier roman, le prix de la Vocation et le prix du Nouvel An chinois en 1998.

柳

给

他

En l'an 1430, le bateau d'un riche commerçant de tissus jeta l'ancre dans l'estuaire du lac de Dongting, face au pavillon de la Lune. Pendant que le propriétaire recevait des négociants à bord, Chong Yang, son fils unique, accompagné du précepteur et de deux valets, prit un esquif et gagna la ville de Yue Yang.

Le garçon n'avait que six ans. Il connaissait déjà par cœur plusieurs centaines de vers anciens et venait méditer sur les lieux fréquentés par les poètes de jadis.

Dans les rues, de nombreux passants se retournaient sur la beauté de son visage et la rutilance de son habit. Le garçon marchait sous les regards étonnés avec l'assurance d'un adulte.

Au pied du pavillon de la Lune, un moine taoïste loqueteux et sans âge l'arrêta. Chong Yang ordonna qu'on lui fît l'aumône. Le vieillard lui prédit des rencontres inouïes, la célébrité, une immense fortune. « Mais, ajouta-t-il, ce ne sont là que songes et poussières. » Sans prendre l'argent qu'on lui tendait, il poussa un soupir et se dirigea vers le lac en secouant la tête. Bientôt, le gris de sa robe se fondit dans le

15

scintillement des eaux, puis il disparut comme absorbé par les flots.

Le lendemain, un dignitaire invita le père et le fils à déjeuner. Pour faire un cadeau à l'enfant, il fit défiler devant ses yeux sur des plateaux recouverts de velours des lingots d'or, des manuscrits rares, des instruments de musique, des jouets automatiques venus d'outre-mer. Chong Yang, agrippé à sa chaise, baissant la tête, se refusa à choisir un présent. On le pressa. Un silence se fit. Le père se força à sourire et plaisanta sur la timidité de son fils. Mais il le gronda à voix basse, lui disant combien sa conduite était impertinente. Les joues de Chong Yang se colorèrent de pourpre ; d'une voix sourde, il répliqua que tout lui était indifférent. Le dignitaire considéra la réponse du garçon comme une insulte et se fâcha. Le père de Chong Yang se confondit en excuses. On chuchota.

Tête basse, le garçon se leva et sortit. On le suivit. Il se rendit près d'un étang, où un saule pleureur caressait la surface des eaux de son feuillage magnifique. Dressé sur la pointe des pieds, il en coupa deux longues branches et les serra dans ses bras.

« Voici mon cadeau », murmura-t-il. Intimidé par les rires, il se sauva.

Le père et le fils rentrèrent à la maison par le fleuve Bleu. Chong Yang ne pouvait quitter des yeux les deux branches. Placées dans un vase de porcelaine, elles ondulaient au gré des vagues. À peine arrivé, il se hâta de les planter sous sa fenêtre. Son comportement amusa toute la maison. On lui disait qu'elles ne survivraient pas. Le garçon semblait ne rien entendre. Il les arrosait tous les jours et les admirait avec passion. Les deux branches prirent racine, de nouvelles feuilles poussèrent. En peu d'années, elles atteignirent une belle taille, traînant jusqu'à terre leur chevelure épaisse.

Lors d'une tempête, les bateaux emportant les marchandises du père de Chong Yang firent naufrage sur le fleuve Bleu. Puis un été froid et pluvieux fit baisser le prix du tissu de lin dans lequel le négociant avait investi. La famille se ruina. Pour fuir les créanciers, elle s'installa dans une province reculée. Le garçon, qui avait douze ans, fut arraché à ses saules. Il pleura.

Il avait dix-huit ans quand ses parents moururent. Chong Yang mena une vie solitaire au flanc d'une montagne sauvage. Le soir, il préparait l'examen impérial, son seul espoir de sortir de la misère. Pendant la journée, dans un petit village, il faisait le scribe, donnait des leçons aux enfants et gagnait ainsi un peu d'argent.

Un jour, ayant terminé sa tâche, il remonta chez lui. Le printemps touchait à sa fin, les fleurs mortes jonchaient le pâle sentier qui se perdait, en zigzaguant, dans la forêt de bambous. Le couchant voltigeait en papillons dorés. Le chant des oiseaux se mêlait au jaillissement des cascades. Ému par le paysage, Chong Yang déplora la fugacité de la beauté et l'inconstance du monde. Il soupira et improvisa un poème :

« Je monte le sentier solitaire
Les derniers rayons du crépuscule fuient vers l'Ouest
    en emportant la couleur pourpre de l'Univers

Les oiseaux chantent en couple dans les feuillages
  sombres
Leur gaieté blesse mon cœur orphelin. »

Un bruit de trot tira Chong Yang de sa rêverie. Il
se retourna. Un adolescent, vêtu d'une tunique verte,
monté sur un cheval persan, sauta à terre et lui
adressa un salut respectueux.

« Je m'appelle Qing Yi, dit-il. Je viens de la province de Zhejiang. Passant tout à l'heure par le village d'en bas, j'ai appris que quelqu'un de mon pays
habitait au flanc de cette montagne. Alors je me suis
mis à sa recherche. L'inquiétude de ne pas pouvoir le
rencontrer m'oppressait. J'ai pensé au poème de Jia
Dao[1] — "Il est dans cette montagne, parmi les nuages épars, nul ne peut le retrouver" — et vous voici ! »

Le doux accent de la province de Zhejiang fit tressaillir Chong Yang. Il s'empressa de répondre : « Dé-
raciné à l'âge de douze ans, jamais je n'ai pu revoir
le sol natal. Si vous daigniez venir dans mon humble
demeure, je serais heureux de vous offrir du thé clair
et d'entendre les nouvelles de mon pays. »

L'étranger accepta l'invitation avec joie. Il prit son
cheval par la bride et suivit Chong Yang. Après un
long moment de marche, en remontant un ruisseau,
ils arrivèrent devant une chaumière. Chong Yang entra, alluma le fourneau et fit bouillir de l'eau. Il offrit
à son hôte du thé vert dans une tasse en porcelaine
de Jingde[2], d'une minceur presque transparente, un
des rares objets sauvés de la déconfiture familiale.

  1. Jia Dao (779-843) : poète de la dynastie Tang.
  2. Sous la dynastie Ming, le bourg de Jingde était réputé pour ses
manufactures de porcelaine.

Chong Yang se versa du thé dans un bol de terre cuite, évoqua la province de Zhejiang et ses paysages fameux. Il parla des rues bruyantes où, envoûtés par le parfum des fleurs de jasmin, les vendeurs de soupe de raviolis, les rémouleurs, les coiffeurs, les vitriers circulaient comme des somnambules.

Ses yeux se perdirent dans le vague. Sa famille possédait plusieurs carrosses. Le sien était le plus beau et roulait avec fierté, comme s'il transportait un octogénaire. Au printemps, les nuits de pleine lune, on s'embarquait sur un grand bateau peint et on dînait sur le lac de l'Ouest. Il y avait des mets exquis et des fruits exotiques entassés dans des assiettes de jade. Sur la proue, un joueur tourmentait sa flûte. Les azalées flamboyaient le long de la rive, dans le silence, et le reflet de la lune se brisant sous la rame fuyait dans l'eau noire comme un serpent argenté.

Chong Yang essuya ses larmes discrètement et demanda si l'étranger connaissait son ancienne demeure qui se trouvait dans l'avenue centrale de la ville.

« Bien sûr, répondit-il. Elle est peu à peu tombée en ruine et personne n'a voulu l'acheter. Seuls deux saules pleureurs au feuillage touffu témoignent de la prospérité de jadis.

— Les saules ! s'exclama Chong Yang qui les avait oubliés depuis longtemps. Ah, mes caprices d'enfant ! »

Ému, il se leva et alla chercher une bouteille d'alcool de riz pour trinquer avec son invité.

La conversation était si animée que le temps s'estompa. L'ombre des bambous, déplacée par le clair de lune, rampait lentement sur les murs, entre les fissures. Chong Yang invita son hôte à passer la nuit et Qing Yi resta deux jours.

Au troisième matin, il annonça à son hôte « Je pars. Ne me retenez pas. Je reviendrai ! »

Il sauta sur son cheval et disparut dans la forêt.

Chong Yang attendait son retour impatiemment. Il avait enfin trouvé un ami avec qui il pouvait discuter arts, philosophie, littérature. Mais Qing Yi tardait à réapparaître et Chong Yang perdait espoir. Trois mois plus tard, un soir, il faisait chauffer de l'eau pour préparer du thé, quand quelqu'un poussa la porte en riant : « J'ai soif ! Offrez-moi une tasse de thé clair. »

Qing Yi se mit à la table et parla à Chong Yang comme s'il l'avait quitté la veille. Le visage poussiéreux, le bas de sa tunique taché de boue, il semblait avoir traversé un pays où le fleuve tord la terre de douleur.

Il l'abandonna trois jours plus tard, revint, pour un nouveau départ aussi imprévisible. Ses visites se multiplièrent. Chong Yang, recevant les nouvelles de l'extérieur, supportait mieux sa solitude.

Le regard de Qing Yi était pénétrant comme celui d'un adulte, parfois voilé d'une étrange mélancolie. Chong Yang l'imaginait nostalgique de reconnaissance sociale. Pour lui permettre de prendre sa revanche, il l'incita à passer l'examen impérial. Mais Qing Yi répondit : « Il y a deux genres de vie différents sur terre : l'un fait penser à la rivière courant vers la mer, l'autre au nuage vagabond qui n'a point de direction. Ne me parlez plus de carrière ni de reconnaissance sociale. Ces jougs me sont insupportables. »

Puis, il se moqua : « Mon bonheur s'appelle l'oisiveté :

> "Ce qu'il y a dans la montagne ?
> Par-delà les cols de nuages blancs...
> Je ne puis qu'en jouir tout seul
> Et ne saurais vous le dire[1]." »

Un soir, Chong Yang jouait de la cithare à l'ombre des bambous. Lorsqu'il eut terminé, Qing Yi lui demanda si cet air, imprégné de tristesse et de regret, ne se référait pas au poème de Zhang Hua[2] : « La belle n'apparaît point. À qui dois-je offrir cette source limpide, et cette rive verte, parsemée d'orchidées sauvages ? »

En voyant son ami rougir, l'adolescent sourit : « À votre âge, il serait bien normal de songer au mariage, d'avoir une femme qui s'occupe du foyer.

— Je suis un pauvre lettré, répondit Chong Yang. Ma maison est si vide que le vent y circule librement. Je ne possède rien d'autre que mon savoir. Que puis-je offrir à une femme ? Qui daignerait partager avec moi une chaumière aux murs nus et mes repas médiocres ?

— J'ai montré vos poèmes à ma sœur jumelle. Elle est séduite par votre talent. Je vais lui parler, peut-être...

— Je vous suis reconnaissant. Mais ma misérable situation ne me permet point d'accepter votre proposition.

---

1. Poème de Tao Hong King (452-536), ermite ayant consacré sa vie à l'alchimie et aux sciences occultes afin d'obtenir l'immortalité.
2. Zhang Hua (232-300) : poète de la dynastie Jin.

— Elle n'est pas laide. Et vous verrez que son esprit est plus vif et son caractère plus fougueux que les nôtres réunis. »

Sans s'attarder avantage, Qing Yi partit.

Trois jours plus tard, Chong Yang lisait à la clarté d'une bougie, lorsque des sons lointains de flûtes, de biba, de luth mêlés au trottinement des chevaux parvinrent à ses oreilles. Il reposa son livre et sortit.

Ombres noires et lueurs rouges montaient de la vallée. Quelques instants plus tard, l'adolescent, à cheval, richement vêtu, apparut au bout du sentier, suivi de jeunes filles, en habit de soubrettes, tenant à la main des lanternes cramoisies. Puis, arrivèrent quatre géants, portant sur leur épaule un palanquin recouvert de soierie. Un cortège de musiciens vint en dernier, jouant des mélodies de liesse.

Qing Yi sauta de cheval et salua Chong Yang : « Pressé par votre bonheur, je me vois obligé de vous amener ma sœur sans vous prévenir. »

Chong Yang fut si surpris qu'il oublia de lui rendre son salut. Sur un signe de l'adolescent, on posa le palanquin à terre. Les soubrettes soulevèrent la portière.

Un parfum exquis envahit les narines de Chong Yang.

Une jeune fille, vêtue de vert émeraude, lui fit une profonde révérence. Son visage était rond, sa peau claire, presque transparente. Elle avait des grands yeux obliques qu'elle gardait baissés. Ses cheveux ondulés s'éparpillaient dans le dos comme le feuillage touffu d'un saule aux reflets noirs.

Chong Yang était incapable de faire le moindre

mouvement ni prononcer un seul mot. Qing Yi frappa trois fois dans ses mains. Une dizaine de valets apparurent. Ils allaient déposer dans la maison les lourdes valises qu'ils portaient sur leur dos, lorsqu'une voix jeune mais résolue se fit entendre : « Mon frère, je vous ai déjà dit qu'une femme doit partager la vie de son époux. S'il était mendiant, elle mendierait aussi. Que l'on retire tout cela. Je préfère travailler de mes propres mains.

— Ne te fâche pas », lui dit Qing Yi embarrassé. Visiblement, il avait l'habitude de fléchir devant la volonté de sa sœur. « Excuse-moi, j'ai encore oublié tes principes. Mais je t'en prie, accepte cette table de marbre blanc. »

Sur un signe qu'il fit, les porteurs installèrent une table et trois tabourets sous un bosquet de bambous et se retirèrent. Tourné vers Chong Yang, l'adolescent lui dit tout bas : « Vous voyez, entre ma sœur et moi, c'est elle qui commande ! Maintenant, à vous de la dompter... »

Dans un éclat de rire, il monta en selle.

« Je vous laisse. À plus tard ! »

Les soubrettes suivirent leur maître. La musique s'éloigna et les lanternes voltigèrent dans la forêt de bambous comme des lucioles. Puis tombèrent le silence et l'obscurité.

Chong Yang aurait cru rêver, s'il n'avait trouvé Lü Yi sur le pas de la porte.

Le lendemain, la jeune femme se leva à l'aube. Elle nettoya la maison et prépara le repas. Elle parlait peu, mais les anneaux de jade attachés à sa ceinture de soie tintaient à chacun de ses pas comme de douces paroles. Ses vêtements, de belle étoffe brodée, contrastaient avec le dépouillement de l'endroit. Ses mouvements maladroits montraient qu'elle avait toujours été servie. Lorsque Chong Yang cherchait à l'aider, elle faisait mine de se fâcher et le repoussait.

Il était ébloui par ce bonheur inattendu. L'arrivée de Lü Yi était pour lui une goutte de miel dans une vie qui ressemblait à du thé amer. Elle illuminait ses journées. Elle était un papillon qui venait se poser sur le papier jauni de son livre.

À présent, de chaque instant jaillissait la joie tranquille. L'automne arrivait à la montagne. Les bambous, asséchés par le beau temps, perdaient un peu leurs feuilles. À l'endroit où le soleil stagnait, les mousses brunissaient, les ruisseaux baissaient la voix, les rochers se paraient d'une teinte rosée.

Les anciens avaient raison : misère, peines, solitude étaient les épreuves de ceux auxquels une grande destinée était promise. Comblé par Lü Yi, son cadeau, sa récompense offerte par les dieux, Chong Yang était convaincu qu'il sortirait bientôt de la pauvreté, que son intelligence lui permettrait de faire carrière.

Après les leçons, Chong Yang remontait le sentier ombragé. Il était si heureux qu'il ne pouvait croire à son bonheur. Soudain inquiet, il hâtait ses pas et pénétrait dans la cour. Il cherchait Lü Yi des yeux. Il l'apercevait en train de coudre. Ému, il essuyait quelques gouttes qui perlaient sur ses joues. Il avait peur qu'elle ne disparût comme elle était venue !

Une fois, il trouva la maison vide. Il se précipita dehors. Le soleil couchant l'aveuglait, les bambous pleuraient dans le vent et les nuages, esquifs égarés, allaient se noyer à l'horizon.

Comment vivre sans elle ?

Qing Yi revenait voir sa sœur. Chaque fois, il la taquinait. Elle se fâchait et il se confondait en excuses. Chong Yang comprit que ces disputes les amusaient. En présence de son frère, Lü Yi était moins réservée, et ce changement tracassait Chong Yang. Le soir, tous trois dînaient autour de la table de marbre blanc. Ils buvaient du vin que Qing Yi ramenait de leur pays natal. Lü Yi jouait de la cithare pour accompagner son frère qui chantait un poème improvisé. Chong Yang ne la reconnaissait plus. Ses joues s'empourpraient, ses yeux brillaient, ses rires sonores devenaient ceux de Qing Yi. Une fois, elle décida de faire une balade. Qing Yi, qui obéissait à ses moindres caprices, la fit grimper sur son cheval, montant derrière elle pour tenir les rênes. Chong Yang les vit s'éloigner dans la forêt de bambous, silhouettes jumelles.

La lune était pleine, le ciel sans nuages. il lui semblait qu'ils retournaient à leur univers. Désespéré, Chong Yang pleura sur le pas de la porte.

Un jour, le jeune homme interrogea Qing Yi sur son origine. L'adolescent s'esquiva dans un sourire. Depuis, une foule de questions hantait Chong Yang. De quel milieu social venaient les jumeaux ? Leur habit, leurs manières, leur culture suggéraient une bonne naissance. Mais à quelle famille de Zhejiang appartenaient-ils ? Quelles fonctions occupait leur père ? Qui étaient leurs ancêtres ? Qing Yi semblait mener une vie aisée. Comment gagnait-il de l'argent ? Que faisait-il dans la vie ?

De temps à autre, pressée par Chong Yang, Lü Yi, d'une voix hésitante, presque un murmure, esquissait un tableau confus de son enfance, et elle était plus mystérieuse qu'un paysage dissimulé derrière le brouillard. Le jeune homme insistait. Elle baissait les yeux et s'obstinait dans le silence. Pourquoi agissait-elle ainsi ? Lü Yi devait lui faire confiance et lui dire la vérité. Il était prêt à partager la tragédie dont elle souffrait en secret. Venait-elle d'une famille ruinée ou disgraciée de la cour ? Où vivaient ses parents ? Avaient-ils été exilés, condamnés ? Pourquoi, lorsque le jeune homme s'acharnait à obtenir une réponse, un indice, des larmes brouillaient-elles les yeux de Lü Yi, muette, bouleversée ?

Pourquoi venait-elle vivre avec un pauvre lettré ?

L'aimait-elle ? Qui était-il pour elle, un refuge, une consolation, un espoir ?

Exaspéré, il décida qu'elle lui serait à jamais une énigme, une femme si supérieure qu'il ne pourrait jamais la comprendre. Il eut honte de son dénuement. Il prit ses distances avec elle et se plongea dans les études. Mais Lü Yi, qui ne comprenait pas son ambition, essaya de le convaincre d'abandonner l'illusion de la gloire et de se contenter d'une vie simple. Il s'emporta. Elle le regarda tristement comme si elle voyait dans sa colère un mauvais présage.

Le lendemain, elle se mit à façonner des paniers avec des lanières de bambous. Elle les vendait aux habitants des villages, et demandait à Chong Yang de cesser son enseignement pour se consacrer aux études. Elle devenait taciturne.

« Dis-moi la vérité : pourquoi tiens-tu à ma misère ? Pourquoi te sacrifies-tu pour moi ? » lui demanda un jour Chong Yang.

Lü Yi se mordit les lèvres et ne répondit pas. Face

à ce silence, Chong Yang, envahi d'une grande tristesse, sortit de la maison en claquant la porte et alla soupirer dans la forêt.

Il rentra lorsque le feu du crépuscule s'éteignait à l'horizon. La nuit tombait. Par la porte entrouverte, il aperçut Lü Yi devant le fourneau. De la marmite de fer s'échappaient une épaisse vapeur et une bonne odeur de riz. Assise sur un tabouret, Lü Yi tressait. Éclairée par le feu, elle paraissait pourtant sombre, mélancolique. Ses longs cheveux tombaient jusqu'à terre. Elle les releva, les noua en un chignon qu'elle fixa avec une tige de bambou, puis retourna à sa besogne. Mais elle était distraite. Son bras trembla soudain. Une lanière lui avait entaillé l'index.

En l'an 1444, Chong Yang réussit les deux épreuves du district qui lui permirent de se présenter au concours régional. Il quitta Lü Yi et la montagne, marcha jusqu'au chef-lieu de la province. L'institut d'Offrande, entouré d'un mur fortifié, s'isolait au sud-ouest de la ville. Une haute tour de surveillance s'élevait en son centre. Une centaine de cabines de bois étaient alignées, et les lettrés, fouillés à l'entrée principale, devaient s'y claquemurer. Bientôt, le gong annonça la fermeture de la porte de l'Institut. La cabine où Chong Yang se tenait mesurait deux mètres de hauteur, un mètre de largeur et un mètre et demi de profondeur. Au mois de la huitième lune, le soleil incendiant son mince toit recouvert de tuiles, la transformait en fournaise. Chong Yang agitait inutilement l'éventail de bambou que Lü Yi lui avait fabriqué. Il s'interrompait souvent pour essuyer sa sueur. Chacune des trois épreuves du concours régional exigeait trois jours et deux nuits d'isolement. Le soir, Chong Yang s'allongeait sur sa table d'examen. Le vrombissement des moustiques et la lourde chaleur l'empêchaient de dormir. Seule, la natte sur laquelle il était couché, tressée par Lü Yi, lui procurait un peu de fraîcheur et de repos. Elle était lisse comme la peau d'une femme.

La deuxième journée de la deuxième épreuve, un orage éclata. La pluie s'infiltra dans la cabine à travers le toit et par la fenêtre. La portière se tordait dans le vent. Pour protéger le papier de riz sur lequel il avait écrit sa dissertation, Chong Yang se déshabilla et le couvrit de son vêtement. Soudain des clameurs s'élevèrent. On entendit les gardes et les contrôleurs de cabines s'injurier. Les latrines inondées vomissaient leurs immondices.

Le soir, la pluie s'était affaiblie. Chong Yang grelottait sur sa couche trempée, épuisé, abattu. Il pensa au feu du foyer et à Lü Yi qui travaillait à l'éclat des flammes. Il vit son visage et ses prunelles scintiller sous ses cils épais. Il distingua ses mains calleuses, ses doigts meurtris. Le cœur de Chong Yang se serra. De nouveau, il sentit renaître en lui la rage de réussir.

On donna le résultat à la neuvième lune, quand les canneliers étaient en fleur. Chong Yang, reçu cinquième, eut droit aux lingots d'argent que les dignitaires locaux offraient aux vainqueurs, promus mandarins d'État. Le jeune homme dépensa toute sa fortune en achetant pour Lü Yi deux rouleaux de tissu de soie de la meilleure qualité et une paire de boucles d'oreilles en corail. Il y avait si longtemps qu'elle ne portait plus que des robes de coton.

Mais, à son retour, malgré ses protestations, Lü Yi

teinta les tissus de soie en bleu foncé et lui tailla deux tuniques neuves. Elle lui cousit aussi deux paires de chaussures.

À la fin de l'automne, Chong Yang repartit pour l'examen impérial. Lü Yi l'accompagna jusqu'au pied de la montagne.

« Je reviendrai dans six mois, lui dit Chong Yang en essuyant ses larmes. Il faut que je réussisse. Ces pénibles travaux te seront épargnés et nous aurons enfin une vie agréable. »

Lü Yi baissa les yeux. Après un long moment de silence, elle dit : « Je n'ai qu'un seul conseil à vous donner. Vous êtes né dans l'opulence et vous l'avez perdue. N'oubliez pas que cette vie-ci est éphémère. Nous ignorons si nous pourrons nous retrouver dans la prochaine. Ni la richesse ni la pauvreté ne doivent faire obstacle à notre bonheur.

— Si jamais il m'arrive un malheur en chemin... » Chong Yang s'interrompit. Il jeta un regard aux alentours et aperçut un vieux saule pleureur au bord de la route. Il entraîna Lü Yi devant l'arbre et l'obligea à se mettre à genoux comme lui.

« Ce saule est le témoin de notre serment, dit-il. S'il m'arrive un malheur sur la route, si nous ne nous voyons plus dans cette vie, nous nous retrouverons dès le début de la vie prochaine ! Nous serons des jumeaux, naîtrons ensemble et grandirons sans jamais nous quitter. »

Lü Yi fronça les sourcils. Elle n'aimait pas ces paroles de mauvais augure. Mais Chong Yang la pressa. Elle jura aussi. Ils se prosternèrent devant le saule.

« Lü Yi, prends soin... » La voix de Chong Yang s'étrangla. « Attends-moi. Je reviendrai ! »

Lü Yi se détourna pour cacher sa douleur.

« Vous m'avez demandé pourquoi je suis venue chez vous, dit-elle. Vous avez pris mon silence pour de l'indifférence et vous en avez souffert. Je ne vous ai pas répondu parce que j'en ignore la raison. Je voulais vous voir, entendre votre voix, vous offrir ma vie... J'ai trop parlé... Partez maintenant. Je vous en supplie, partez ! »

Comme Chong Yang demeurait immobile, elle tourna le dos et s'en alla. Ses anneaux de jade tintaient et le vent faisait bruire sa robe. Marchant de plus en plus vite, elle semblait flotter. Bientôt sa silhouette se confondit avec les arbres.

Pour le jeune homme, ce fut le commencement des tourments.

Pas un jour il ne songea à abandonner cette marche vers une gloire incertaine et à retourner à sa chaumière. La route menant à la capitale, poussiéreuse, ondulait à travers les champs et les collines. Le soleil brûlant de tous ses feux asséchait la gorge de Chong Yang. Au-dessus de sa tête, infini, le ciel se déployait. Il se trouvait minuscule, risible, se demandant pourquoi, connaissant le bien, il allait vers le pire ; pourquoi à chaque instant, appelé par la vie et l'amour, il se perdait dans l'illusion qui l'étreignait de ses bras mortels.

Les pas alourdis par les doutes, Chong Yang arriva à la capitale deux mois plus tard, le visage sale, hâlé, les chaussures trouées, les vêtements en lambeaux.

Flanquée d'une large douve, Pékin dressait majestueusement son enceinte qui pointait vers le ciel créneaux et drapeaux brodés de dragons. Des hirondelles tournoyaient au-dessus des tours où se promenaient des archers. La foule tapageuse passait sur le pont-levis et entrait par la porte principale qui ressemblait à un œil béant.

Le premier concours impérial eut lieu au mois de la deuxième lune, et on attendit l'épanouissement des fleurs de prunier pour annoncer le résultat. Chong Yang, sélectionné, passa le deuxième concours, ultime étape pour arriver au pied de l'Empereur.

L'épreuve se déroula dans la Cité interdite, sous l'auvent de la salle du trône et sur les marches de marbre blanc. On devait disserter sur un sujet tiré des Quatre Livres[1]. Ce jour-là, dixième jour de la quatrième lune, l'Empereur Ying Zong, ravi de la douceur du temps, festoyait. Il buvait et riait avec ses ministres à l'intérieur de la vaste salle.

Une lune plus tard, les résultats n'étaient toujours pas annoncés. Chong Yang habitait une auberge à la porte de l'Est de la Cité interdite et, comme sa bourse était plate, il avait quitté sa chambre et partageait une paillasse au rez-de-chaussée avec des marchands ambulants et des forains. Tous les matins, il sortait de l'auberge, longeait le mur cramoisi des palais impériaux, et allait jusqu'à la porte de la Paix céleste, où les deux colonnes sculptées de dragons, totem de la race chinoise, s'élançaient fièrement vers le ciel. Déçu, rongé par l'impatience, il allait manger une soupe de nouilles au bord de la douve puis s'enfonçait dans les ruelles pour rêvasser, s'interroger sur

1. Ces quatre livres sont *L'Entretien avec Confucius, Meng Zi, Le Juste Milieu, La Connaissance immanente.*

son sort et noyer ses angoisses dans les bruits de la vie pékinoise.

Mandarin titulaire, vainqueur des concours successifs qui avaient brisé l'ambition d'une dizaine de milliers de lettrés, il recevrait une charge d'État et retournerait vers sa province où il occuperait une fonction administrative. Ces honneurs inespérés ne pouvaient combler Chong Yang qui visait, depuis son arrivée à Pékin, une place à la cour.

Lors de ses promenades solitaires, le jeune homme passait devant les palais princiers. Les portes rouges étaient défendues par des lions de marbre et des laquais assis sur le perron. Un clocher, une tour, le faîte d'un pavillon surgissaient des murs, évoquant une vie dérobée aux yeux du commun des mortels. De temps en temps, une porte latérale s'ouvrait, des valets et des servantes apparaissaient. Des carrosses, recouverts de soieries chatoyantes, escortés de jeunes seigneurs, en sortaient. Le vent soulevait le rideau et, de loin, Chong Yang apercevait parfois un visage, un bout de robe, une chevelure ruisselante de pierres précieuses.

Un matin, Chong Yang se réveilla d'un rêve étrange. Vêtu d'une tunique vermillon, brodée d'oiseaux farouches [1], il commandait pourtant une armée rangée au pied de la Grande Muraille. Devant l'auberge se déroulait un combat de coqs. On entendait des injures, des bravos. Deux hommes se mirent à s'affronter et un brouhaha s'éleva. Chong Yang se

---

1. Sous la dynastie Ming, les fonctionnaires d'État se divisaient en neuf catégories. Les robes de couleur vermillon et brodées d'images d'oiseaux étaient réservées aux mandarins de la première à la quatrième catégorie, tandis que les généraux d'armée portaient la robe brodée d'images de fauves.

souvint d'avoir dépensé sa dernière sapèque et bu jusqu'à l'aurore. La tête lourde, couché sur une paillasse qui dégageait une odeur nauséabonde, il regardait le plafond graisseux.

Incapable de mendier argent et nourriture, il avait faim. Le patron de l'auberge allait le jeter à la rue. Où trouverait-il un abri, un travail qui lui permettrait de survivre jusqu'à la proclamation des résultats ?

Il sombrait de nouveau dans le sommeil, lorsque quelqu'un le tira violemment de son lit. Des soldats le prirent par le bras et le firent s'agenouiller devant un officier. L'homme sortit de sa longue manche un rouleau de papier et lut à voix haute.

C'était l'édit impérial qui ordonnait à Chong Yang de se présenter au Palais. Stupéfait, il se prosterna en direction de la Cité interdite. L'officier remit le rouleau dans sa manche. Apercevant une tunique de soie au coin de la paillasse, il la saisit et en revêtit le jeune homme de force. On bouscula le patron de l'auberge et les voyageurs. Encore ivre, Chong Yang fut incapable de marcher. On le traîna dehors et on le mit sur un cheval. Les soldats frappèrent les gongs pour dégager le passage dans la foule. L'escorte s'ébranla.

Au Palais, une dizaine de lettrés s'étaient déjà rassemblés, çà et là, devant la porte de Midi. À l'arrivée de Chong Yang, un officier des rites les regroupa et les escorta jusqu'à la Cité interdite. Il leur fit attendre, sur le perron de la salle de l'Harmonie éternelle, la levée de l'audience. Malgré son hébétude, Chong Yang avait une vague conscience de ce qui se passait. Il gardait la tête baissée, fixait le bout de ses chaussures et s'efforçait de ne pas vomir.

Soudain, la musique éclata comme un coup de tonnerre. On claqua trois fois le fouet rituel. Imitant les autres lettrés, Chong Yang se prosterna.

De l'intérieur de la salle de l'Harmonie éternelle, une voix prononça le nom du lauréat, répété tel un écho interminable par les valets et les gardes impériaux. Chong Yang crut reconnaître son nom, mais ses oreilles bourdonnaient, sa tête tournait. Incapable de distinguer la réalité des illusions, il préféra garder le silence et demeurer immobile.

Voyant Chong Yang, qui, au lieu de se précipiter à terre pour remercier la grâce céleste, s'attardait, sourd et stupéfait, dans le groupe des lettrés, l'officier des rites s'avança et le poussa rudement. Chong Yang tomba à genoux. Il se fit mal, et la douleur le réveilla de sa griserie. Il comprit alors qu'une nouvelle vie venait de commencer.

Quand la cérémonie s'acheva, conduits par l'officier des rites, les mandarins impériaux sortirent du Palais par les portes de la Morale éclatante, de la Prudence pure, du Midi, de la Paix céleste. Ils franchirent le pont de la Rivière d'or. Devant la porte de la Longue Paix située à l'est du Palais, un banquet avait été préparé par le ministère des rites et des cérémonies. On drapa les trois premiers reçus impériaux de soie écarlate, les couronna de chapeaux ornés de fleurs d'or. On trinqua à la longévité de l'Empereur et à la gloire de l'Empire. Puis, on aida les mandarins à monter sur leurs chevaux magnifiquement empanachés et l'escorte les raccompagna à leur hôtel.

Chong Yang voyait son nom s'afficher dans les boulevards de la capitale. La foule se bousculait sur les trottoirs pour contempler son visage. Parfois, du haut d'un pavillon, une fenêtre s'ouvrait. De jeunes demoiselles, à demi cachées par le rideau de gaze, riaient, se donnaient des coups d'éventail, lui lan çaient des œillades timides.

À l'auberge, le patron, bouleversé, le supplia de ve nir habiter sa maison. Il déménagea sa famille et of frit au jeune mandarin ses valets et ses servantes.

Puis la nuit tomba et le silence se fit. Chong Yang se laissa choir dans le lit. Une profonde mélancolie le saisit. Combien de fois avait-il rêvé de cette vie somptueuse ! Quel bonheur apporte une telle existence ? Serait-il différent d'un lettré ordinaire ? Certes, il ne serait plus jamais affamé, et ne souffrirait plus du froid qui s'abattait parfois sur la montagne. Mais à quel prix ? Chong Yang savait ce qui l'attendait à la cour. La bigoterie confucéenne prêchait l'abnégation, le sacrifice, la dévotion à l'État, l'obéissance à son sei gneur. Mais, dans les livres d'histoire, on ne lisait qu'intrigues, luttes pour le prestige, insatiable soif d'accroître son pouvoir.

Un rêve réalisé est un rêve qui s'efface. Jamais Chong Yang n'avait été aussi lucide qu'en cet instant. Si aujourd'hui, il acceptait le jeu de la Fortune, de main, d'innombrables autres occasions de gloire vien draient le tenter. Cet avenir lui donnait le vertige.

Il pensa à Lü Yi. Ce fut pour lui une consolation. Il la vit en robe vert émeraude tresser des lanières de bambous. Simple, humble, elle obéissait à des valeurs opposées à celles de ce monde-ci. Il allait rentrer à la maison. Lü Yi déciderait de sa vie. Si elle voulait, il abandonnerait le chapeau du lauréat et quitterait la capitale.

Le lendemain, Chong Yang reçut les présents de

l'Empereur : une tunique de la cour avec ses bijoux, des lingots d'or, des rouleaux de brocart. Revêtu de sa nouvelle tenue, Chong Yang devait se présenter au Palais pour remercier Sa Grâce impériale. Elle fit l'éloge de son talent et lui confia une fonction élevée. Lorsque Chong Yang eut terminé ses longues prosternations, l'Empereur lui demanda s'il était marié. Chong Yang hésita. Il n'avait jamais accompli la cérémonie de mariage avec Lü Yi. Devenu rouge, il répondit « non ».

Commença alors le long rituel des félicitations et des remerciements. Les fonctionnaires venaient les uns après les autres chez le nouveau lauréat. Ils cherchaient à s'attirer l'amitié du jeune mandarin que l'Empereur avait daigné complimenter. Ils lui offraient des lingots d'or. Avec une patience faussement amicale, ils brossaient le tableau de la cour. Obséquieux, ils expliquaient les partis en conflit et lui donnaient des avertissements. Chong Yang rendait aux mandarins leurs visites. Il se présentait chez les ministres. Les princes et les ducs l'invitaient aux dîners. On parlait réforme agraire, troubles frontaliers, mutations importantes. Accompagné de poètes légendaires, de courtisanes célèbres, on s'enivrait de la musique jouée par les plus grands maîtres, en dégustant des fruits exotiques dont le transport avait épuisé hommes et chevaux.

Le onzième jour, il reçut le proviseur impérial, octogénaire réservé et hautain. Messager du prince Yi Yu, le frère cadet de l'Empereur, il proposa à Chong Yang un mariage. Le jeune prince, dit-il, ayant maintes fois aperçu le nouveau lauréat, pensait que la délicatesse de ses manières et l'harmonie de sa physionomie présageaient un avenir hors du commun. Il avait décidé de conseiller à l'Empereur son frère — bien sûr avec l'accord de Chong Yang — de lui donner la main d'une de leurs sœurs. Le proviseur, qui connaissait cette princesse de quinze ans, ajouta quelle avait un cœur noble et une beauté exceptionnelle.

Les paroles du vieillard plongèrent Chong Yang dans le trouble.

Après ces quelques jours d'observation, il avait compris les enjeux et les réticences de la cour. Dix ans auparavant, l'Empereur était monté sur le trône, âgé de neuf ans à peine. L'impératrice grand-mère observa les règles ancestrales qui défendait aux femmes la politique et refusa la régence. Le pouvoir tomba aux mains des ministres cacochymes qui avaient fait les beaux jours du règne de Re Zong, le grand-père de l'Empereur. Cependant, Wang Zhen, l'eunuque des rites, jouissait de la confiance absolue de l'Enfant céleste. Son autorité s'accroissait au fil des jours et, bientôt, l'Empereur adolescent ne pouvait plus se passer de lui. Quand moururent l'impératrice grand-mère et les ministres régents, Wang Zhen, soutenu par les tortionnaires de Jin Yi[1], élimina les oppositions et s'installa au pouvoir. Le prince Yi Yu, malgré son jeune âge, avait l'esprit vif et éclairé. Des ministres, unis par leur haine contre l'eunuque Wang Zhen, s'étaient rassemblés autour de lui et le conseillaient. Si ce prince souhaitait marier Chong Yang à sa sœur, c'était pour l'attirer dans son clan.

---

1. Jin Yi, « les gardes aux tuniques de brocart », un ministère spécifique à la dynastie Ming (1368-1644). Sa fonction consistait à veiller sur la sécurité de l'Empereur et de l'État. Il jouissait d'une totale autonomie vis-à-vis du ministère de l'Intérieur et du ministère de la Justice.

Pendant trois jours, Chong Yang feignit d'être malade et s'enferma.

Devant l'Empereur, il avait affirmé vivre seul. En évoquant l'existence d'une femme dans sa vie, il se contredirait. Dissimuler la vérité au Fils du Ciel est un crime de lèse-majesté et on lui couperait la tête. Célibataire donc, s'il refusait la main d'une princesse, il serait un insolent, un ridicule, bon pour l'exil.

On l'obligeait à choisir entre deux genres de vie : être beau-frère de l'Empereur, connaître la magnificence, l'ascension exaltante, mais vivre parmi les tigres, ou retourner à la tranquillité du bonheur conjugal.

Pourquoi Amour et Ambition étaient-ils si exclusifs !

Les festivités du mariage durèrent trois mois. La capitale tout entière était en liesse. Le nouveau membre de la famille céleste séduisit le peuple par sa dignité, sa beauté et son air mélancolique.

Chong Yang avait emménagé dans un palais somptueux, préparé pour le jeune couple. Un jardin, orné de rocaille, de kiosques, s'étendait dans la partie arrière de la maison, devant la chambre conjugale.

Un soir, il se réveilla, croyant entendre Lü Yi l'appeler par son nom. Il se leva. Le vent faisait bruire les feuilles et lui donnait l'impression qu'elle était là, quelque part dans l'obscurité

« Lü Yi... » murmura-t-il.

Les pivoines se balançaient dans la brise, chuchotant des remontrances.

La princesse était une jeune fille intelligente qui savait prévenir le moindre désir de son époux. Pour dissiper sa tristesse dont elle ignorait la cause, elle fit construire un bateau gigantesque, et, aux jours d'été, le couple princier descendait le Grand Canal, dégustant des mets délicieux au son de la flûte. Elle dressait des grues qui dansaient au clair de lune, animait des fêtes où chantaient les meilleures troupes d'opéra, organisait des concours de poésie, bâtissait des palais dans leurs vastes terres. Pour le convaincre de son amour, elle lui choisissait, avec un soin amoureux et tendre, les plus belles concubines, dont les jeux lui faisaient oublier son chagrin.

À la cour, le nouveau lauréat possédait la froideur grave et la clairvoyance qui imposaient le respect. L'Empereur l'avait chargé des réformes agraires, mission dont il s'acquitta avec brio. Chong Yang rehaussa ainsi le prestige du prince Yi Yu. Mais il avait autour de lui des ennemis. L'eunuque Wang Zhen le haïssait. D'autres enviaient sa fortune, mais admiraient son discernement, sa patience, sa ténacité. Impliqué dans les intrigues, il devint cruel. Pour se préserver, il apprit à amadouer les uns et détruire les autres. Il avait sauvé des milliers de paysans de la famine, mais aussi conduit des rivaux à la torture, à la mort. Son caractère changea. Il se mettait souvent en colère. Parfois, il se réfugiait dans la solitude et soudain ressurgissait le gouffre de la vie qu'il avait connue autrefois, après la disparition de ses parents. Le silence le réconfortait et l'oppressait. Alors il sonnait les serviteurs : qu'on prépare un banquet ! Généraux, mandarins, courtisanes arrivaient, son palais se remplissait de soieries, de parures, de visages aimables. De douces louanges lui faisaient oublier la montagne, les bambous, sa chaumière.

Un soir, il rêva de Lü Yi.

« Félicitations », lui dit-elle en s'inclinant légèrement. Il la dévora des yeux. Elle n'avait pas changé.

« Félicitations, répéta-t-elle, d'une voix triste. Vous êtes au comble de la gloire. »

L'émotion avait rendu Chong Yang presque sourd. Il n'avait pas entendu ce qu'elle venait de lui dire. « Enfin tu es là », soupira-t-il.

Il se leva, s'approcha d'elle pour la prendre dans ses bras. Elle recula d'un pas.

Chong Yang avait songé mille fois aux premiers instants de leurs retrouvailles. Jamais il n'aurait imaginé que voir Lü Yi suffirait à le combler d'une telle joie. Il en oubliait qu'il était coupable. Il lui semblait qu'ils s'étaient quittés la veille, et Lü Yi lui avait tant manqué ! Heureux de la retrouver, il sourit.

Son sourire la blessa, elle disparut.

« Attends Lü Yi, attends ! Ne me laisse pas seul ! »

Chong Yang se réveilla, déchiré. Il se dégagea des bras d'une concubine. Le jour n'était pas encore levé. Il se glissa hors de la chambre, prit des lingots d'or, se fit apporter un manteau doublé de fourrure. Prétextant qu'il était appelé d'urgence à la cour, il sauta sur son cheval et refusa qu'on le suivît. Dans une dizaine de jours, escomptait-il, il serait à la montagne et serrerait Lü Yi dans ses bras.

Dans la rue, il se retourna pour contempler son palais. Des lanternes ornées de dragons éclairaient les murs pourpres et les portails hérissés de clous de bronze. Les pavillons et les tours, de l'autre côté de l'enceinte, dessinaient dans la pénombre des ombres grimaçantes. C'était la dernière image de sa gloire.

Lorsque le soleil serait levé, les mauvais rêves dissipés, Chong Yang, débarrassé de sa tunique de cour, simple voyageur, rentrerait d'une traite à la maison.

Le jeune homme allait lancer son coursier au galop, quand plusieurs cavaliers firent irruption en l'interpellant par son titre. Les eunuques lui transmirent l'ordre de l'Empereur qui l'appelait à la cour. Les Mongols avaient franchi la frontière chinoise et envahi la ville de Ta Tong.

Au milieu de la septième lune, l'Empereur leva en hâte une armée de cinq cent mille soldats et sortit de la Grande Muraille, par la porte Jü Yong. Sur la route, Wang Zhen, qui avait longtemps entretenu un trafic d'armes avec les Mongols, tyrannisait les troupes. Faute de provisions, les soldats mouraient de faim et de froid. Avant d'arriver à Ta Tong, l'eunuque persuada l'Empereur de retourner à Pékin. L'armée chinoise en débandade fut rattrapée par la cavalerie mongole. Trois cent mille soldats massacrés, une cinquantaine de mandarins, autant de généraux périrent. L'Empereur fut capturé.

Chong Yang rassembla les survivants, fit pendre Wang Zhen et revint, vaille que vaille, à Pékin. À la cour, bouleversé par la défaite, on parlait déjà de déménager la capitale dans le sud. Chong Yang s'opposa à cette idée. Soutenu par les généraux, il plaça sur le trône le prince Yi Yu, déjouant ainsi la menace des ennemis qui tenaient l'Empereur en otage.

Au mois de la dixième lune, les Mongols assiégèrent Pékin. Décontenancés par la résistance de la capitale, les barbares, plutôt pilleurs que conquérants, se retirèrent. Au retour dans les steppes, ils relâchèrent leurs otages. Ying Zong, revenu à Pékin, fut emprisonné dans la Cité interdite par son frère cadet, qui voulait préserver sa couronne.

La guerre accrut le prestige de Chong Yang. Désigné premier conseiller impérial et grand maréchal par le nouvel Empereur, il tenait la cour sous son autorité si solidement qu'il ne craignait plus personne. Même le Fils du Ciel n'osait prendre une décision sans le consulter. Le peuple le vénérait comme le sauveur de la Chine. Il se déplaçait à grand tapage : fanfares, bannières, escortes et crieurs dégageaient les rues en proclamant son titre. Son destin, mince ruisseau au départ, était devenu un fleuve torrentiel, constamment en crue. On venait implorer clémence et protection. Ses directives étaient suivies scrupuleusement. On observait gestes et regards, on devinait ses intentions et on les prévenait pour mieux le servir. D'autres, ne pouvant l'atteindre, cherchaient à corrompre ses domestiques, redoutés comme des seigneurs.

Chong Yang venait d'avoir trente ans. Il voyait s'étendre son pouvoir et sa richesse avec ivresse et mélancolie. Sa grandeur le flattait et l'inquiétait. Craignant l'assassinat, il redoubla ses gardes et fit goûter ses plats. Superstitieux, il pratiquait toutes les religions. Pour attirer la faveur des dieux, il fit construire dans les environs de Pékin un temple taoïste, une pagode tibétaine, un couvent bouddhiste, et ordonna qu'en son nom on y priât. Avant le siège de Pékin, il avait songé à se détourner des honneurs pour se retirer à la montagne, aujourd'hui, devenu maître de l'Empire, soucieux de sa gloire comme de celle de son propre foyer, il renonçait à sa retraite.

Cependant, l'image de Lü Yi le poursuivait. C'était

le seul regret de cet homme presque comblé. Gavé de mets raffinés, il rêvait pourtant de sa cuisine frugale. Entouré de beautés célèbres, il regrettait qu'aucune d'elles ne lui fût comparable. Il avait besoin d'une femme comme Lü Yi, toute douceur, pudeur et innocence. Les yeux baissés, elle saurait le consoler. Ses sourires auraient illuminé sa vie comme des rayons de soleil.

Le remords de Chong Yang était si violent qu'il voyait dans sa hantise une punition des dieux. Effrayé, il imposa à la princesse, son épouse, sa décision de prendre une nouvelle concubine et envoya à la montagne une troupe de soldats, valets, servantes, musiciens. Il écrivit une lettre à Lü Yi, dans laquelle il lui racontait sa vie depuis son départ et expliquait sa responsabilité à la cour. Il implorait son pardon pour son silence et la priait de venir à la capitale.

Après avoir mis la patience et l'espoir de Chong Yang à rude épreuve, la délégation s'en revint. L'intendant qui la conduisait rendit à son maître les rouleaux de brocart, les cassettes de perles et les joyaux destinés à Lü Yi. Il lui remit une lettre. Chong Yang reconnut son écriture.

Lü Yi le remerciait pour ses présents. Habituée à une vie rustique, disait-elle, elle n'avait pas besoin de cette abondance. Les années de séparation n'avaient en rien altéré ses sentiments. Elle vivait de ses souvenirs, heureuse d'être entourée des objets qui lui avaient appartenu. Son frère était venu la chercher, mais elle avait refusé de le suivre. Vouée corps et âme à un homme, elle se considérait comme l'ombre attachée à sa lumière. À la cour, elle deviendrait son esclave, son jouet. Dans sa montagne elle pourrait l'aimer et être aimée de lui dans la vérité. Puissance et richesse n'étaient que songes. Elle attendrait son retour, s'il le fallait, jusqu'à la fin de ses jours.

La lettre de Lü Yi désespéra Chong Yang. Fou de rage, il bannit son intendant et dépêcha son secrétaire privé, suivi d'une escorte peu nombreuse et sobrement vêtue, pour porter son message à Lü Yi. Il la suppliait de venir vivre auprès de lui. Pour elle, il bâtirait une colline dans la campagne de Pékin, y planterait une forêt de bambous, où, à l'écart du monde, elle vivrait dans le silence.

Le secrétaire parti, Chong Yang recommença à souffrir d'impatience et d'angoisse. C'était avec un plaisir sombre qu'il revoyait en pensée la montagne, vaste univers devenu confus et lointain. Il se rappelait l'odeur du bambou mêlée à celle de la cuisine, le bruissement du vent, le goût du thé âpre, le ruissellement des sources, de l'existence enfuie.

Mais comment retourner à sa vie antérieure ?

Un soir, Lü Yi lui apparut en rêve, amaigrie. Ses yeux étaient cernés et ses cheveux ternes.

Elle avait poussé un soupir. Après avoir examiné longuement Chong Yang, elle l'avait imploré d'une voix faible de revenir à elle.

En entendant ces mots, Chong Yang sentit ses entrailles se déchirer. Il voulut lui parler de ses tristesses, lui dire combien elle lui manquait. Il était prêt à lui avouer que sa vie de dignitaire était devenue une prison.

Mais étranglé par l'orgueil, il garda le silence.

Lü Yi le fixa de ses yeux devenus encore plus noirs. Soudain, effrayée par une image à elle seule visible, elle couvrit son visage de ses mains et s'éloigna dans l'obscurité. Chong Yang, la voyant disparaître, cria son nom pour la retenir. Elle ne répondit pas. Il entendit le tintement des anneaux de jade et la nostalgie du bonheur d'hier s'empara de lui. Secoué de sanglots, il se réveilla.

Le second cortège revenu, on remit à Chong Yang une nouvelle lettre. Lü Yi lui prêchait la sagesse. Elle lui conseillait de se retirer aussitôt de la cour comme si elle y voyait un danger imminent.

Chong Yang se fâcha. Pourquoi l'attente, pourquoi l'obstination ? Il croyait connaître la réponse.

Elle avait décidé de défier son inconstance par sa fidélité, sa vanité par son humilité.

Personne, excepté elle, n'avait osé le contredire, lui désobéir. Chong Yang finit par se révolter contre celle qui le hantait, le jugeait, et méprisait sa puissance. Il rappela son secrétaire privé et lui fit porter à Lü Yi une lettre vierge, signe de rupture, et des lingots d'or.

Une nuit, alors qu'il était seul sur la véranda, une femme vêtue d'une robe vert émeraude lui apparut au milieu d'une sombre étendue de pivoines. Il sursauta, croyant rêver. Mais elle se mit à parler. Sa voix était claire et distincte malgré le bruissement des fleurs.

« Pourquoi ne me laissez-vous pas attendre ? l'interrogea Lü Yi. Pourquoi m'ôtez-vous l'espoir ? »

Elle s'interrompit pour reprendre son souffle. Son visage était pâle. Chong Yang remarqua qu'elle s'était habillée comme la première fois, lorsqu'elle était venue à lui en palanquin. Ses cheveux, ayant retrouvé leur éclat, luisaient dans la nuit. Elle était légèrement maquillée et son visage rayonnait. Sa robe de soie doublée laissait voir, au niveau du col, une seconde robe turquoise. Elles étaient attachées par une agrafe d'émeraude et une ceinture tressée de fils d'or. Cinq anneaux, noués par le même ruban, y étaient suspendus. Le premier avait la couleur des feuilles d'automne, le deuxième celle des flammes, et le dernier était cramoisi comme le sang.

« Vous m'ordonnez de rompre, dit-elle, désespérée. Je vous obéis ! Adieu, Chong Yang. Vous m'avez donné la vie, vous m'avez soignée avec tendresse. Vous m'avez inspiré un sentiment si fort que je suis incapable de lui donner un nom. Vous m'avez mal comprise. Je ne vous méprise pas. J'ai seulement cherché à m'élever jusqu'à vous. Maintenant, puisque je ne peux plus vous suivre, je vous rends ma vie ! »

Chong Yang voulut lui parler, mais elle détourna le visage. Un vent violent traversa le jardin et fit onduler sa robe. À la clarté de la lune, il vit ses pieds s'enfoncer dans la terre ; ses cheveux s'éparpillèrent dans l'air et se transformèrent en branches sveltes. Ses yeux, sa bouche, son nez se fondirent dans une écorce écailleuse qui couvrait peu à peu sa peau.

Lü Yi avait disparu. À sa place, un saule pleureur agitait ses branches, bruissant comme si la jeune femme parlait encore. Étonné, Chong Yang n'eut pas le temps de prononcer un mot. Les feuilles du saule se mirent à jaunir, se détachèrent de la branche, tourbillonnèrent dans le vent avant de passer par-dessus le mur. En un instant, l'arbre se dessécha, et il ne resta plus qu'un tronc vide de toute sève.

Qing Yi, que Chong Yang n'avait pas vu depuis longtemps, apparut à l'entrée du jardin. Il se précipita vers le saule pleureur, le serra dans ses bras et le baigna de ses larmes.

Puis, il se retourna vers Chong Yang qui l'observait, stupéfait. Il lui dit : « Nous ne sommes pas des humains, mais les deux saules que vous avez plantés sous votre fenêtre. Lorsque nous étions enfants, ma sœur fit le serment de récompenser votre bienfait. Maintenant, le destin nous oblige à vous quitter. »

Il s'inclina devant Chong Yang et disparut dans l'obscurité.

Chong Yang se réveilla soudain, et son regard parcourut le jardin. Il n'y trouva rien d'inhabituel. Les pivoines, bercées par le vent de la nuit, murmuraient comme si quelqu'un parlait tout bas.

Le messager que Chong Yang avait envoyé à la montagne arriva à Pékin. Il lui rendit les lingots d'or.

Des conflits éclatèrent à la frontière. Chong Yang prit son sceau de grand maréchal et quitta Pékin. On l'avertit du risque de s'absenter de la cour. Mais Chong Yang s'ennuyait à la capitale. Il souffrait d'un étrange abattement que seule la guerre, croyait-il, pouvait guérir.

Au-delà de la Grande Muraille, dans le pays des barbares, le vent faisait rouler des pierres grosses comme la roue des chars. Au hennissement des coursiers répondaient en écho le son rauque des cornets, le claquement des drapeaux, le cliquetis des fers. La tension, l'angoisse et l'orgueil étaient si exaltés que Chong Yang y trouvait une sérénité nouvelle.

Au milieu de la sixième lune tombèrent d'épais flocons de neige, pareils à des plumes d'oie. Après les batailles, la blancheur du sol était bafouée par des cadavres d'hommes et de chevaux, par des herbes teintées de sang.

L'Empereur lui envoya une dépêche. Il agonisait. Chong Yang regagna la capitale d'un trait. À la porte du Palais, il fut arrêté par les gardes impériaux.

Quelques ministres, profitant de l'absence de Chong Yang et de l'agonie de Yi Yu, avaient fait encercler le Palais par l'armée.

Après le coup d'État qui l'avait libéré et la mort de Yi Yu, Ying Zong reprit sa couronne et condamna Chong Yang à la peine capitale. Un an plus tard, sa peine fut commuée à cause de son mariage avec une princesse impériale et on l'exila à la Falaise du monde.

La route traversait sa ville natale. On emprunta l'avenue principale. Attirée par le bruit des gongs et de la chaîne de fer que Chong Yang traînait aux pieds, la foule se rassemblait sur les trottoirs et s'amusait à voir un criminel passer. Chong Yang aperçut sa maison qu'il n'avait plus revue depuis l'âge de douze ans. Il supplia les gardes de le laisser entrer, leur offrant les quelques sapèques qu'il portait sur lui.

Les volets étaient tombés, les mauvaises herbes avaient poussé sur le toit de cette demeure jadis somptueuse. On avait démoli le mur, extirpé les incrustations de marbre, abattu les colonnes, détaché les châssis de porte en bois précieux. Les pillards avaient tout enlevé, tout volé. Il ne restait rien de son enfance.

Devant les fenêtres de sa chambre, couvertes de poussière et de toiles d'araignée, se dressaient les troncs pourris de deux saules pleureurs.

Chong Yang revit la scène de sa séparation avec

Lü Yi : il l'entraînait tendrement sous le plus vieux des arbres ; ils juraient de se retrouver dès le début d'une prochaine vie, unis comme frère et sœur.

Pourtant, devant lui, Chong Yang n'avait que les ténèbres.

二

Ma famille arriva à la cour impériale au milieu du XIVᵉ siècle, quand le général Zhu Yuan Zhang, après avoir chassé les Mongols de la Chine, se proclama Empereur et fonda la dynastie Ming. Il récompensa ses compagnons de guerre et gratifia le général Meng Kai, mon ancêtre, du titre de duc de la Longue Prospérité.

Pendant trois siècles à travers dix générations, ma famille poursuivit sans trêve la fortune, le pouvoir et la gloire. Les fils occupaient de hautes fonctions et les filles embrassaient de nobles alliances.

Puis, un jour, avec la famine, surgirent des hordes de bandits. Ils sillonnèrent le pays, conquirent les provinces, encerclèrent Pékin et forcèrent la porte de la Cité interdite. L'Empereur se pendit dans son jardin et le général Li Zicheng, le chef des rebelles, monta sur le trône.

Les barbares mandchous, profitant du désarroi à l'intérieur de l'Empire, descendirent du nord. Un général traître leur ouvrit la porte de la Grande Muraille. Li Zicheng, l'usurpateur, mourut transpercé de flèches. Le chef des barbares, nouveau maître de la Cité interdite, fonda la dynastie Qing.

Trois cents membres de notre famille périrent dans la fumée de la guerre et sous la hache des bourreaux. Un de mes aïeux échappa à l'extermination. Il erra deux ans avant de s'installer sur le haut plateau du Sud-Ouest. Les fleuves impétueux, les chaînes de montagnes abruptes où séjournent des peuples sauvages, le protégeaient et gardaient le secret de son origine. Il changea de nom, se remaria, bâtit une forteresse au bord d'un précipice, se consacra à l'élevage du bétail.

Dans l'interminable attente de la chute de l'Empire mandchou et du retour du règne des mandarins, mes ancêtres languissaient et s'enrichissaient. La famille eut de nombreuses filles qu'elle maria à des seigneurs locaux ; ainsi retrouvait-elle l'illusion de sa toute-puissance. Mais, comme par malédiction, les enfants mâles étaient rares et, pendant plusieurs générations, la famille fut sur le point de s'éteindre.

Mon père épousa la fille d'un grand marchand du Sud-Ouest. Elle lui apporta en dot des terres, des troupeaux et des boutiques. Les deux années qui suivirent le mariage, il acheta deux concubines. Aucune de ces femmes n'eut d'enfant.

Ce fut ma mère, cette honorable dame, qui, après trois mille jours de prières ferventes et un douloureux traitement prescrit par une sorcière, finit par être enceinte. Mon frère et moi, nous partageâmes nos premiers jours dans le ventre de notre mère, front contre front. Nous étions unis comme un seul corps.

L'espace où nous vivions devint vite oppressant. Je me débattais. Mon frère aussi, mais ses mouvements étaient plus violents. Il s'arc-boutait, me bousculait, m'étranglait, m'enfonçait sous ses pieds, prenant son élan en me piétinant la tête.

J'entendis des cris lointains. C'était une voix inconnue qui hurlait le bonheur et le triomphe. Je compris que mon frère m'avait abandonnée, et la solitude me terrifia. Triste, désespérée, j'hésitais entre le sommeil et la lutte. Je me tordis, frappai ma tête contre le mur tendre qui m'enveloppait. J'étais épuisée, asphyxiée, mais, soudain, l'air frais, la lumière, le froid ! On me prit par le pied et on me tapa sur les fesses. J'ai froid ! J'ai froid ! Un cri sortit de ma gorge, je me mis à pleurer.

Les servantes se dépêchèrent de coudre des vêtements supplémentaires. Mon frère et moi fûmes placés dans une chambre bien chauffée et déposés côte à côte sur un lit, chacun enveloppé dans une couverture de soie ouatée. Des pas s'approchèrent. Une foule entra dans la chambre.

« Où est mon fils Chunyi, le Bon Augure de Printemps ? demanda une voix d'homme avec impatience.

— Le plus gros, le plus rose, et celui qui crie le plus fort, monseigneur », répondit une voix traînante.

Des paroles de félicitations fusèrent. On complimenta mon frère, on loua sa beauté. Des rires éclatèrent.

Une voix de femme, déterminée mais chevrotante, fit taire tout le monde : « Cette fille est si maigre qu'elle ne pourra pas survivre. Mon fils, donne-lui tout de même un nom. Et fais venir un ouvrier pour préparer son cercueil. »

Des murmures s'élevèrent. On disserta et on s'accorda pour m'appeler Chunning, « la Tranquillité du printemps ».

Les yeux fermés, sourcils froncés, je m'enfermai dans le silence. Parfois, les cris éclatants de mon frère me faisaient revenir de l'univers des Ténèbres dont je sondais la profondeur. Je me mettais à pleurer brusquement. Mes joues brûlaient, ma voix se déchirait. Je cherchais à défier mon frère. Mais le garçon, excité, hurlait de plus belle jusqu'à ce que je suffoque, et que mes cris deviennent de faibles miaulements.

Grand-Mère arracha mon frère au sein de notre mère, affaiblie par l'accouchement, et l'installa dans son appartement. Elle lui trouva une nourrice robuste, gavée comme une oie domestique. Après le départ de Chunyi, de jour en jour, je pris du poids.

À trois ans, habillé d'une petite cotte, coiffé d'un heaume léger, mon frère fut mis sur la croupe d'un cheval.

Lorsqu'il atteignit l'âge de quatre ans, Grand-Mère fit venir un célèbre professeur de la province de Si Chuan pour l'instruire.

Mais bientôt, la vieille dame mourut. À ses funérailles, on me prit la main et on me poussa vers un petit garçon au visage renfrogné.

« Chunyi, c'est ta sœur Chunning ; Chunning, c'est ton frère Chunyi », nous dit-on.

Je lui fis une révérence. Il portait un costume de deuil en lin blanc. J'avais gardé le souvenir de mon frère emmailloté qui ne savait que secouer la tête pour en faire sortir des hurlements. En cinq ans de séparation, il avait grandi. Je ne reconnaissais pas son visage, jadis minuscule, pourpre et couvert de rides. Il me dépassait d'une tête. Les exercices martiaux avaient gonflé ses bras, épaissi ses épaules. Ses joues charnues encadraient un nez presque busqué et il me toisait d'un regard hostile. Je lui souris. Il retroussa sa lèvre supérieure et me répondit par une grimace horrible. J'eus peur, les larmes me montèrent aux yeux. Mon frère m'observait, satisfait de mon émotion. Je fis un effort pour retenir mes pleurs et lui souris à nouveau. Il tourna la tête.

Au lendemain de l'enterrement, on le retira du sein de la nourrice et on le remit dans les appartements de notre mère. Mais il échappa à la surveillance et rejoignit la nourrice qui travaillait dans la cuisine. Elle jeta les ustensiles et l'accueillit dans ses bras en fondant en larmes. Ils se cachèrent dans un débarras où elle lui ouvrit sa chemise. Couché sur ses genoux, les yeux mi-clos, mon frère agrippa la mamelle et téta. Sa main libre jouant avec l'autre sein, il sommeillait, rêvassait, se laissant bercer par l'odeur douce de la peau.

On les découvrit. On fit venir le mari qui travaillait dans l'écurie et on lui donna une somme. Un matin, l'homme fit ses bagages et emmena sa femme. Chunyi s'aperçut de son absence et devint fou d'inquiétude. En secret, il fouilla l'écurie, la cuisine, les dépôts, s'introduisit par la fenêtre dans les chambres froides, fermées par de lourds cadenas, souleva les rideaux des alcôves, secoua les coussins, inspecta les jardins. Ne pouvant croire à sa disparition, il se promit de la retrouver même si elle était transformée en fleur, en ombre, en vapeur. Son odeur le hantait. Il la flairait comme un chien enragé. La nuit, il se réveillait, glacé de mélancolie.

Heureusement, les jours passèrent ; l'obsession,

comme un rêve, disparut. Mon frère trouva un nouvel amusement.

On lui avait permis de sortir de la maison en compagnie des valets. À cheval, on prenait le chemin en lacet, le descendant d'une seule traite. En bas, des prairies s'étendaient jusqu'à l'endroit où se courbe le ciel pour s'évanouir dans l'immensité. Lorsqu'on levait la tête, on voyait la maison fortifiée, aigle perché au bord d'une crête rocheuse qui veillait jalousement sur ses terres. On galopait. Le monde tremblait ; la steppe se précipitait vers mon frère, s'enfonçait dans sa rétine et dans sa poitrine. Parfois, on s'arrêtait, car des cavaliers en habit étrange et graisseux s'approchaient. On les laissait venir et sauter à bas de leur cheval. Mon frère les entendait, avec étonnement, l'appeler jeune seigneur. Il observait du coin de l'œil ces sauvages qui le saluaient profondément.

Un jour, l'intendant qui l'accompagnait traça un grand cercle de son bras :

« Jeune maître, lui dit-il, ces montagnes, ces terres et ce bétail sont à vous. Ces gens sont vos serfs. »

Suivant le geste de l'intendant, le regard de mon frère se promena de sommet en sommet pour s'arrêter sur la steppe où le vent avait ouvert un large sillon. Il toussa, voulut prononcer une phrase solennelle. Mais rien ne lui vint à l'esprit. Soudain, on entendit un bruissement d'aile : une grue passa dans le ciel.

« La grue blanche, à moi ! » s'écria joyeusement mon frère qui s'élança à sa poursuite.

Depuis la mort de Grand-Mère, mon frère se sentait orphelin. Son malaise devenait irrépressible lorsqu'on le conduisait devant Mère. Contrairement à Grand-Mère vouée au bleu indigo, elle s'habillait de belles étoffes de soie et de brocart. Ses cheveux étaient noirs, lissés à l'huile de cannelier. Un phénix prenant dans son bec une grosse perle ornait son chignon. Mon frère le contemplait, bouche bée, n'écoutant rien ni personne. Ma mère soupirait, se levait et laissait mon frère à sa stupéfaction. Il ne bougeait pas. Une étrange tristesse soulevait son cœur. Parfois, Mère était d'humeur chaleureuse. Elle le faisait s'asseoir près d'elle, lui demandait ce qu'il désirait manger, quel jouet le comblerait, et comment allaient ses études. Elle passait sa main lourde de bagues sur sa tête, et mon frère, devenu rouge, se raidissait.

Le garçon me méprisait. Grand-Mère, qui n'avait jamais daigné me parler, lui avait enseigné l'orgueil d'être mâle et héritier. Cependant, il m'observait en secret. Pour lui, mon lever était une cérémonie honteuse où une naima et deux servantes s'affairaient à me laver, me coiffer et m'habiller. À la fin de l'après-midi, rentrant d'une bonne course à cheval, couvert de sueur et de poussière, il m'apercevait, à l'abri du soleil et du vent. Je me levais pour lui parler. J'éprouvais toujours de la joie au moment où je le voyais. Mais il me lançait un regard de mépris si farouche, qu'à cinq pas de lui je m'arrêtais, interdite.

Il m'était facile de me venger. Alors que Chunyi était gêné par les caresses maternelles, je m'y adonnais avec passion. Sur les genoux de ma mère, je me tortillais, froissais sa jupe, jouais avec ses bijoux, humais son parfum. Cette impudeur irritait mon frère qui se sentait ridicule.

Une nuit, je réveillai mon frère par mes cris. Il se dressa sur sa couche, écarta les courtines et se glissa hors du lit. La naima qui dormait dans sa chambre avait disparu avec les servantes. Intrigué, il poussa la porte et sortit dans la cour. Des silhouettes noires se profilaient sur les croisées de l'appartement d'en face d'où s'échappaient mes pleurs et mes gémissements.

Il s'approcha d'une fenêtre, mouilla un doigt, fit un trou dans le papier de riz et y colla son œil. Ce qu'il vit le figea de terreur. Il m'aperçut, assise sur le lit. Une servante en vert maintenait ma jupe retroussée. La gouvernante, autrefois la nourrice de Mère, était assise sur un tabouret devant le lit, les manches relevées. Elle enroulait autour de mon pied une bandelette. À chaque tour, elle la tirait pour serrer plus fort. Hormis mes sanglots, un silence solennel. Dans la pénombre, mon frère reconnut sa naima une paire de ciseaux à la main, une femme de chambre portant une bassine d'eau, une autre un panier. La couleur vive de leurs vêtements était dévorée çà et là par l'obscurité. Mère se tenait sur une chaise adossée contre le mur et fronçait légèrement le sourcil quand je poussais un cri trop amer.

Une fois le bandage terminé, la gouvernante le cousit. L'aiguille brillait. Mère passa un second rouleau à la gouvernante qui commença a comprimer mon autre pied, Mes phalanges brûlaient, je pleurais, me débattais. Mais une naima m'immobilisait de ses bras. De temps en temps, une soubrette passait une serviette mouillée sur mon visage, pour essuyer mes larmes et ma sueur. Au lieu de venir me secourir, mon frère, de l'autre côté de la fenêtre, tremblait. Le vent sifflait dans le jardin, faisant bruire les feuilles.

Un oiseau poussa un cri rauque et se jeta dans le ciel. Pris d'une angoisse indescriptible, mon frère s'enfuit dans sa chambre et se cacha sous sa couette.

Cette nuit-là, je dormis mal. Mes larmes taries, je gémissais. La douleur de mes pieds se propageant, les jambes me démangeaient. Le lendemain, on me fit lever de force. Malgré mes supplications, je dus marcher, les pieds bandés. Un calme inhabituel rôdait dans le jardin. Mon frère avait de la fièvre, me dit-on.

Il garda le lit pendant dix jours.

À six ans, mon frère et moi montrions déjà des caractères opposés. Chunyi était violent et impulsif et je savais modérer mes caprices, observer les expressions, deviner les exigences. Mon frère aimait dominer et moi plaire. Le visage de Chunyi était un univers chaotique où la nature n'avait pas encore pris forme. Le vent, le brouillard, les nuages épais tourbillonnaient entre ciel et terre. Il avait un nez trop fort, les joues trop charnues, les paupières trop épaisses — les yeux réduits à deux minces fentes — pour ressembler à Père. On disait que mon visage rappelait les plus beaux traits de nos ancêtres altiers et superbes. Même Père, sévère et morose, se montrait parfois ému en me regardant. Il poussait un soupir et se plaignait de ce que je n'étais pas un garçon.

Notre maison, à l'origine, avait été un refuge, une forteresse, le royaume des exilés. La famille, à travers les siècles, s'efforçait de restaurer le faste et le raffinement de jadis. Mais, dans une région où la nature moissonnait la grandeur et la rudesse, le regard de mes ancêtres évolua. Éloignés de la capitale dont ils ne recevaient que de rares nouvelles, ne connaissant la splendeur du passé qu'à travers les portraits des aïeux et les récits qui se transmettaient de génération en génération, ils avaient fait de leur maison un somptueux étalage de contradictions.

Nos murs étaient épais. Leur peinture rouge, brûlée par le soleil en été, fouettée par la bise en hiver, tombait par endroits et laissait apparaître des pierres noires où s'agrippaient les lichens. Nos portes ornées de clous de bronze pesaient sur des chambranles tordus par les intempéries. Des dalles, grossièrement taillées, de couleur ocre et grise, servaient de pavement. Nos arbres étaient dépourvus de tendresse : les pins, les cyprès, les mélèzes avaient les branches nouées par le vent, le tronc fendillé par la foudre, des aiguilles en piques d'acier aiguisées par la pluie. Un aïeul avait réussi à planter des saules pleureurs. Un demi-siècle après, ils étaient creux, foudroyés et laissaient pendre jusqu'au sol leur épuisement. Mais, lorsque le vent se levait, pris d'un étrange enthousiasme, ils se mettaient à danser.

Des rhododendrons, de l'espèce la plus sauvage, ne s'épanouissaient, hélas, que de fleurs pâles, minuscules. Des roses escaladaient nos murs. Mais leurs pétales étaient mornes et leur parfum imperceptible. C'est pourquoi notre famille chérissait les pivoines qui épousaient la montagne sans perdre leur éclat et leur noblesse. Des espèces nouvelles créées par mes ancêtres portaient les noms des impératrices Ming. Ne cherchant point à nous séduire, elles tyrannisaient notre vie par leur éclosion subite et foudroyante.

Des toits aux tuiles d'ardoise coiffaient nos pavillons peints. Des fenêtres sculptées, des portes en forme de lune distrayaient nos regards. De longues galeries couvertes zigzaguaient dans le jardin, reliant les appartements : elles nous abritaient du soleil, de la pluie et de la neige. Deux cents chambres formaient un labyrinthe. Pour circuler, il fallait ouvrir une porte, soulever un rideau, traverser une cloison sculptée, contourner un panneau de marbre ou un paravent laqué, incrusté de nacre.

Mon frère se délectait à contempler cette vaste demeure à l'aspect ténébreux. Une fissure, un lézard, une toile d'araignée, la laideur l'étonnait et le faisait rêver. Il s'intéressait aux nombreuses chambres inhabitées, coins morts où s'amoncelaient les ombres et la poussière.

Notre ciel est turquoise et le soleil corail. Mais le beau temps de la montagne alterne avec les tempêtes. Mon frère craignait le grondement de la terre, le claquement du tonnerre, mais il aimait ces rares moments avant l'orage où le ciel demeurait livide et des rouleaux de brouillard se bousculaient dans la vallée. En haut, au sommet de la montagne, une lumière verdâtre éclairait les toits et rampait dans le jardin où les ombres s'effaçaient. Une indescriptible inquiétude descendait de la cime des arbres, dévorait les servantes vêtues de soie, pourchassait les insectes dans les bourgeons où ils étaient cachés.

Mon frère détestait les jours de fête où la maison se réveillait de sa morosité. Les préparatifs duraient plusieurs journées, selon l'importance des rites. On nettoyait les appartements, on accrochait des lanternes dans les salons où l'on dressait des tables. Des voix chantonnaient, des robes virevoltaient, des rires roulaient, comme des perles, d'une pièce à l'autre et allaient se répandre dans le jardin. Or, argent, pierreries et étoffes commençaient à chatoyer, les bibelots prenaient un air précieux, des peintures et des calligraphies de maîtres tapissaient les murs. Mon frère se promenait, raidi dans son habit neuf et sans gaieté dans le cœur. Il s'introduisait dans la cuisine où l'on épluchait les légumes, égorgeait les poules, suspendait les lapins, dépouillait les faisans et, parfois, tuait un cochon. Le sang écumeux le bouleversait. Les cuisiniers, devant sa pâleur, lui lançaient des plaisanteries, les mains enfoncées dans les entrailles de la bête. Mon frère tressaillait. Il voulait détourner son regard, mais une étrange fascination le retenait. Encore étourdi, il était conduit devant les invités, des dignitaires locaux, ventrus, fades et parés de bijoux. Surveillé par Père, il était obligé de leur faire la conversation. On l'interrogeait sur ses études, des voix glapissaient, parlaient d'histoire, de poésie, du voyage, des événements. Il se sentait séparé de ces gens par une distance immense et préférait se remémorer les pelages ensanglantés, les yeux révulsés et la chair rose devenue pourpre tout à coup.

Méprisée par mon frère et n'ayant d'autre compagnie que des servantes tristes, je menais une vie solitaire. Mon grand amusement était d'errer dans les appartements, la tête renversée. D'une pièce à l'autre, des fresques recouvraient les poutres du plafond. J'essayais d'y reconnaître des personnages de légende, des héros historiques, des animaux fantastiques.

J'allais rêver sous un arbre. Parfois, des nuages, d'une blancheur aveuglante, s'amoncelaient brusquement dans le ciel, formant une montagne. Les rayons du soleil, violets, gris et bleus, contournaient les vapeurs, y creusaient des vallons, taillaient des parois, ciselaient des crêtes. Qu'y a-t-il dans les nuages ? La légende racontait qu'ils portaient sur leur dos un royaume céleste, où les immortels, maîtres des palais, menaient une vie d'insouciance et de plaisir.

J'attendais les fêtes avec impatience, le temps qui s'écoulait lentement me martyrisait. Encens, feux d'artifice, lanternes peintes, mets précieux, vêtements parés de broderies, cérémonies fastidieuses me révélaient l'existence des esprits invisibles.

Pourquoi les saisons changent-elles ? Le Nouvel An appelle le froid, la neige. À la fête de Yuang Xiao, l'aquilon souffle, les lanternes frissonnent et jettent une faible lumière sur les stalactites de glace. À Qing Ming, la neige est là, noircie par le soleil. On entend des ruissellements secrets, des gouttes d'eau qui tombent des arbres et tapotent les toits. À Duan Wu, le cinquième jour de la cinquième lune, on fait des gâteaux de riz gluant, enveloppés dans des feuilles de bambou, et on lace autour de nos bras des ficelles teintes, pour tromper les démons, semeurs de maladie. Le lendemain de la fête, le printemps s'installe dans la montagne. Les grues blanches revenues des pays lointains traversent le ciel à tire-d'aile. Pourquoi le jour s'allonge-t-il ? Pourquoi l'air devient-il plus épais ? Les arbres respirent, ondulent, s'étirent et s'étendent vers le ciel ; les abeilles au ventre émaillé font vibrer leurs ailes ciselées d'argent. Qui leur donne la joie de fabriquer le miel ? Un papillon grimpe la montagne abrupte et vole sous les arbres. Quelle main divine a dessiné sa grâce ? L'été passe et la fête de la lune appelle l'automne. L'astre, lisse et rond, éclaire le bois qui commençait à s'effeuiller. On distingue le rouge dans les arbres, le jaune dans les buissons, du raisin sous la tonnelle de feuillage épais. La maison fortifiée incline ses toits sur lesquels les fauves de granit sont accroupis. Vous, mes amis, qui veillez sur nos nuits calmes, avez-vous vu passer les dieux de la montagne ? L'automne s'en va au neuvième jour de la neuvième lune, à la fête de Chong Yang. On fait alors venir des pots de chrysanthèmes, et l'odeur humide, l'air fragile annoncent la neige. Hiver, où étais-tu parti ? D'où reviens-tu ?

Les jours de festin, je m'asseyais à la table des femmes, dressée dans les appartements intérieurs. J'apercevais les invités seulement au spectacle. Dans le jardin, les ancêtres avaient construit — tradition des familles fortunées — un pavillon destiné à l'opéra. Un étang séparait les convives femmes et hommes, et le vent m'apportait la discussion de l'autre rive. On parlait des villes lointaines, mystérieuses, aux mœurs étranges. On parlait aussi de fantômes, de revenants, d'hommes blancs aux yeux de couleur.

Le nom de Pékin revenait souvent. C'était la ville des dix mille splendeurs. Où était donc Pékin ? Comment pouvait-on s'y rendre ?

Combien y a-t-il de maisons ? de chats ? de jeunes filles, mes semblables ? Quelle est la couleur des pavés ? Y a-t-il des oiseaux qui rient dans les arbres ? Et des lions en marbre, devant les portes, qui raillent les passants ?

J'avais une vieille naima qui peignait mes longs cheveux. Née dans une province lointaine, orpheline, elle avait conservé le souvenir d'une terre verdoyante, irriguée de rivières poissonneuses. Elle avait perdu son mari et son enfant dans une épidémie de choléra, quitté sa région, s'était engagée comme femme de chambre dans la maison d'un mandarin. Elle avait suivi sa maîtresse lorsque le maître avait changé de poste. Dans une voiture traînée par des mules, parmi les paquets et les coffres, elle aperçut le monde à travers la fente des rideaux. Elle s'habitua à un climat brumeux, à un accent criard, à des rues sombres, humides et grouillantes de marchands. Le temps s'écoula et elle passa de maison en maison. D'une ville à l'autre, elle s'exila. Sa vie fut un glissement vers le froid, le silence, vers une terre dure, toujours plus aride.

Elle avait connu des milliers de vies pour satisfaire ma curiosité. Le matin, au lever, elle expliquait mes rêves ; le soir, avant le coucher, elle me racontait des histoires de spectres, pour me maintenir immobile devant le miroir. Ses mains qui me coiffaient étaient grandes et calleuses, ses gestes lents et impitoyables. Parfois, j'avais l'impression que mon âme, étirée, brossée, allait se détacher de ma nuque, dévaler ma chevelure. Je criais. Mais la vieille Li, vêtue d'une veste bleu indigo, cheveux blancs ramassés en chignon, imperturbable, maigre et desséchée, continuait à parler :

« Notre existence n'est qu'un court passage. Nous avons beaucoup vécu. Nous avons encore beaucoup de vies à vivre. »

Ne me laissant pas le temps de poser une seule question, elle continuait :

« Sous la terre s'étend un royaume que le soleil ne peut atteindre. Il y a aussi des maisons, des rues, des villes comme sur la terre. Il y fait nuit tout le temps et on voit, dans le ciel obscur, une lune pâle. On appelle ce pays le royaume des Ténèbres, car il est réservé aux mânes.

— Les mânes, qu'est-ce que c'est ? m'écriai-je, un matin, terrifiée.

— Tous ceux qui ont vécu et qui ne vivent plus sur terre. L'univers est divisé en trois cercles. Un premier pour les vivants, un deuxième pour les mânes, un troisième pour les êtres célestes. Les dieux veillent sur tout, les démons et les renards circulent dans ces trois mondes, où ils sont égarés, au service du bien ou du mal. Ici, sur terre, il y a Pékin, la Cité interdite où les hommes s'inclinent devant l'Empereur. Là-bas, au royaume des Ténèbres, on obéit à son Roi et on appelle sa demeure les Enfers. Puis, au-delà de nous, règne l'Impératrice céleste, toute-puissante.

— Mais le noir ne le tourmente-t-il pas ? N'a-t-il pas peur ? Que fait-il de sa journée, le roi des Ténèbres ?

— Il consulte un livre où sont inscrits la date de notre naissance et le jour de notre mort. Au jour fatidique, il appelle les démons et les envoie sur terre. Ils retrouvent le condamné, partout où il se cache. Ils l'enchaînent et l'entraînent dans les Enfers. Le Roi le juge. Les innocents sont relâchés, ils errent dans les rues sombres et tristes. Les méchants sont punis de leurs crimes, les supplices les purifient. Quand arrive le jour de la renaissance, les démons nous enchaînent à nouveau. Nous sommes conduits à la porte des Enfers où se dresse une roue gigantesque. Les démons nous poussent avec force. Nous tombons et la roue nous emporte dans son mouvement perpétuel. Nous nous réveillons dans une nouvelle vie pour accomplir un nouveau destin : chien, chat, homme, femme, pauvre, riche, roi ou mendiant. Tout dépend des mérites de notre existence antérieure. »

Les yeux écarquillés, bouche ouverte, dépassée par le mystère que l'on venait de me révéler, je demeurai muette. Devant ma stupéfaction, la naima Li éprouva une joie secrète, et ne laissa pas passer l'occasion d'étaler son savoir :

« Pourquoi avons-nous des relations particulières avec certaines personnes ? Pourquoi certains nous font-ils souffrir et d'autres nous rendent-ils heureux ? Pourquoi arrivent-ils dans notre univers pour nous quitter aussitôt, nous abandonnant à la tristesse et au désespoir ? Pourquoi sont-ils nés pour être nos parents, nos frères et sœurs, nos chiens, nos chats, ou une fourmi que nous écrasons par hasard sous notre semelle ? Pourquoi sommes-nous trahis, meurtris, aimés et sacrifiés ? C'est le nœud du karma ! À travers les existences sans cesse renouvelées, les âmes cherchent le dénouement de leurs vies antérieures. »

Les joues de la vieille Li se colorèrent, ses yeux brillèrent. Toute sa vie passée, elle avait prié les dieux, consulté les sorcières, invoqué les mânes pour se délivrer de cette chaîne.

Je lui demandai timidement si je pourrais être une autre fois un oiseau. Elle sourit et ne répondit pas.

« Un papillon, une libellule ! » m'écriai-je. L'idée que j'avais des ailes et que je planais librement dans le ciel m'enchanta.

Ma joie se transforma soudain en angoisse. Si j'étais un papillon, où serait ma mère ? demandai-je à Li. Serait-elle une maman papillon ? Était-ce possible ? Peut-être était-elle dans cette vie-là une princesse, un oiseau, un arbre ? Elle ne me connaissait pas et ne m'aimait pas. Puis mon père ? Et mon frère ? Et mes ancêtres, qui étaient-ils ? Pourquoi fallait-il les vénérer ? Si toutes les relations n'étaient que passagères.

« Prier, mon enfant, et accepter le sort qui nous est attribué. »

Mais je ne l'écoutais plus. Je revoyais notre pavillon d'opéra où certains chanteurs se maquillaient, d'autres jouaient déjà sur scène, et d'autres encore, assis par terre, attendaient leur rôle. Une immense solitude m'envahit.

Qui étais-je ?

Je descendis de la chaise et me laissai habiller, lorsque j'aperçus mon frère qui m'épiait à la fenêtre. Il voulut s'enfuir mais je l'arrêtai.

« Chunyi, tu as tout entendu ! J'étais un papillon et je volais ! »

Il ricana et disparut derrière un arbre.

Fâchée contre cette indifférence, je me jurai de le poursuivre jusque dans une vie prochaine où je serais son tortionnaire.

Puis, je me dirigeai vers l'appartement de ma mère pour prendre le riz du matin. C'était l'époque où les os de mes orteils étant cassés, mes pieds bandés commençaient à bleuir, saigner, pourrir. Mais il fallait marcher. La douleur, aiguë, me faisait pleurer.

Ce matin, Mère paraissait soucieuse. Me voyant venir à elle en boitillant, elle soupira et me prit dans ses bras.

« Pauvre petite, me dit-elle. Quand on me comprimait les pieds, ma mère faisait rouler des pierres sur mes doigts pour que les os se cassent plus vite. Nous n'avons pas le choix. Sans des pieds joliment bandés, je ne pourrais pas t'obtenir un beau mariage. »

Mère sentait le musc blanc. Ses mots doux étaient un baume généreux qui apaisait ma souffrance.

Lorsque l'on termina le riz du matin, Mère fit desservir la table. On étala devant elle de l'encre, des papiers, des livres de comptes, une calculatrice en bois et on lui annonça les intendants, comptables et gouvernantes, qui attendaient son audience.

Depuis que j'avais les pieds bandés, pour me consoler, Mère me gardait auprès d'elle lorsqu'elle traitait les affaires de la famille. Assise sur ma chaise, je dessinais avec un pinceau. J'aimais ce moment privilégié où régnait le silence du petit matin. Mère avait hérité de son père un excellent sens des affaires. Elle savait tenir les comptes. Elle calculait, réfléchissait, donnait des ordres avec douceur et fermeté. Elle usait de mots simples pour se faire obéir. Ceux qui avaient commis des fautes subissaient un interrogatoire minutieux, et devaient s'expliquer dans les moindre détails. Ceux qui mentaient devenaient livides, car le regard de Mère, pesant sur eux, lisait dans leurs pensées.

Ce matin, après le départ de l'intendant, je voulus faire jurer Mère qu'elle le serait encore dans une prochaine vie, lorsque Père nous rendit visite. En le voyant entrer, je me tus. Je lui fis une révérence et me glissai dans une chambre voisine.

Aussitôt j'entendis Père grommeler. Il se plaignit de la chaleur, de la lumière qui l'aveuglait, du vent qui s'insinuait sous son vêtement, des domestiques qui désobéissaient.

« Vous devriez moins fumer, lui répondit ma mère de sa voix calme. Cela affaiblit votre santé. »

Mon père éclata d'un rire forcé.

« Bêtises, dit-il, bêtises !

— Vous avez beaucoup maigri ces derniers temps, insista ma mère. J'ai entendu dire qu'au Guang Dong, il y a quelques années, on a fermé les fumeries et confisqué tout l'opium pour le brûler en public. Vous voyez que son effet malfaisant est connu de tous. »

J'entendis Père hausser la voix :

« Tais-toi, tais-toi, femme idiote, ne te mêle pas de mes affaires. »

Mon père s'arrêta, baissa la voix pour contenir sa colère :

« La vie est une lente rivière où tout s'écoule et rien ne demeure. Tout fuit, s'évapore, disparaît. On peut devenir dieu, ici-bas, si l'on suit le cours de l'univers, si l'on ne s'attache à rien et si l'on ne craint point la mort. L'opium est porteur d'esprit. Il nous fait traverser les instants éphémères et entrer en communion avec l'éternité. »

Ma mère resta d'abord silencieuse, puis elle dit :

« À mon humble avis, l'éternité passe à travers nous si nous honorons les ancêtres et apprenons à nos descendants l'humilité, le respect, le dévouement. »

Une porcelaine se fracassa.

Mon père cria :

« Descendants ? Je n'ai hélas qu'un fils indigne et incapable. Tu ne comprends toujours pas que la gloire de la famille est terminée. Rien ne perdure et rien n'a duré. Aujourd'hui, il me reste encore une maison fortifiée, demain, ce ne sera qu'un tas de pierres effondrées. Absurde, absurde... » Il sortit. J'entendis plusieurs fois encore résonner le mot « absurde ».

Dès la première bouffée d'opium, le fumeur sombre dans un abîme où chaleur et ténèbres lui servent de linceul. Puis, soudain, légèreté, silence... l'infini. L'esprit, détaché du corps, plane à une hauteur où le présent, le passé et le futur sont soudés, confondus. Sur son lit d'opium, mon père somnolait, rêvassait, contemplait la vie comme une peinture et examinait ses beautés les plus futiles. Il méditait sur la vacuité de notre univers.

Quand l'effet de la drogue disparaissait au bout du voyage dans le pays des dieux, mon père retrouvait la réalité. Il ouvrait les yeux. Le fumoir, éclairé d'une faible lueur, ressemblait à la gueule béante d'un monstre. Il se levait et appelait ses gens qui ne venaient pas. Il faisait quelques pas et poussait la porte. Le soleil déversait sur lui les tenaces chagrins d'une vie terrestre.

Aussitôt après la naissance de mon père, Grand-Père avait quitté le château et disparu. Les uns racontaient qu'il s'était converti à la religion catholique, les autres disaient que, devenu un des chefs des Boxers, il coupait la tête des Diables étrangers.

Enfant chétif, mon père fut élevé parmi les femmes. Il rêvait de devenir général. Mais mon grand-père, qu'il vénérait, ne revenait pas pour l'emmener dans le monde. Désespéré, l'enfant tomba malade. On le mit au lit, sous plusieurs couvertures de soie. On chauffait l'appartement toute l'année, et l'on faisait venir des médecins qui lui prescrivirent d'innombrables médicaments. Malgré les ginsengs, les nids d'hirondelle, la gelée royale, l'enfant s'affaiblissait. Il toussait, vomissait, souffrait de maux de tête ; il devenait maussade et maltraitait les domestiques. La gloire, le combat, le voyage, la capitale, tout s'évaporait derrière les courtines brodées. Lorsqu'il faisait beau et doux, on l'extrayait parfois de sa chambre obscure. On le portait dans son lit et l'installait dans le jardin. Couverture tirée jusqu'au menton, il regardait le ciel. Les oiseaux passaient. C'était son adolescence qui filait à tire-d'aile.

Ce jour-là, dès que mon père sortit du fumoir, il se rappela ce fils héritier qui détestait les études et refusait d'honorer les ancêtres. La rage s'empara de lui et le poussa vers le pavillon du Parfum antique.

À cette époque, on me faisait étudier pour tenir compagnie à mon frère. Ma soubrette, le valet de mon frère, Chunyi et moi, nous formions une classe et nous nous réunissions tous les après-midi dans ce pavillon rectangulaire, construit par un aïeul oublié. Pour aider à la concentration de l'esprit, les murs étaient nus, les meubles sobres et usés. Des cyprès aux branches noueuses nous berçaient dans leur ombrage.

Mon frère abhorrait l'inaction, par conséquent les études. La voix chevrotante du vieux précepteur l'endormait. Dans la salle, parfois passait une mouche qui le faisait rêver. Derrière la fenêtre mon père surprit mon frère à déchirer les pages de son livre dressé sur la table et à en faire des boulettes qu'il mouillait de sa salive et lançait à la nuque de son valet.

Mon père poussa la porte et tout le monde se leva pour le saluer. Il nous fit signe de nous asseoir, excepté mon frère auquel il ordonna de se mettre à genoux. L'un et l'autre se dévisagèrent.

« Récite "Le glorieux ancêtre", ordonna Père à Chunyi.

— "Oh, glorieux ancêtre !
Éternels sont tes bienfaits !
Dispense tes grâces illimités,
Qu'à nous tous en ce lieu elles parviennent !

J'ai rempli les coupes d'une pure liqueur :
Accorde-moi que se réalisent mes vœux,
Et voici, voici..." »

Le visage de Chunyi s'empourpra. Il chercha en vain les vers qui ne venaient pas. De grosses gouttes de sueur perlèrent le long de ses joues. Il s'essuya du revers de sa main sale qui laissa des traces noires. Mon frère était à genoux, tête baissée, dos courbé, les yeux fixés au sol.

Soudain, j'aperçus un sourire ironique au coin de ses lèvres.

Dans mon désarroi, je lançai un regard suppliant vers mon père, et je vis qu'il souriait, lui aussi, ironiquement.

Il se fit apporter le fouet.

Je me plongeai dans un livre. En vain, j'essayai de déchiffrer les mots. Le claquement du fouet et le silence obstiné de mon frère entraient dans mes oreilles. Je tressaillis, je comptai le nombre des coups malgré moi, priant tous les dieux du ciel d'abréger ce supplice.

Le bruit du fouet cessa et j'entendis la voix de mon père : « Chunning, tu es capable peut-être de me réciter "Le glorieux ancêtre". »

Je pensai feindre l'ignorance, par solidarité avec mon frère, écroulé par terre. Mais le courage de mentir me manqua. Je récitai le poème en entier et sans faute.

Le soir même, mon frère m'arrêta sous la tonnelle de glycine. Il m'avait suivie longtemps dans l'obscurité et avait attendu que je fusse seule. Il me lorgna pendant un long moment tel un homme qui contemple son reflet, son ombre, sa sangsue. Brusquement, il m'empoigna le bras et m'injuria, m'appelant traître, lâche, fille stupide. Il parla de vengeance. Il disait qu'après la disparition des parents, il aurait tous les droits sur moi et me ferait souffrir. Il trépignait, postillonnait, brandissait les poings. À son insu, il imitait les gestes de Père. Il me dépassait d'une tête. J'éprouvais de la peur et de la pitié. La nuit était calme, j'essayais de compter les grappes de glycine suspendues dans la pénombre. Les insultes me blessèrent. J'aurais pu crier, hurler, lui griffer le visage puis m'enfuir et aller tout rapporter à mon père, mais on m'avait appris à respecter et jamais à me défendre. J'étais trop enfant pour savoir que j'avais le droit de répondre aux injures par les injures. Je ne comprenais pas que je pouvais me révolter et Chunyi, par son seul ascendant d'aîné, m'écrasait.

Les mêmes scènes se répétèrent, parce que mon frère se dégradait pendant que je m'épanouissais ; parfois, je me sentais coupable d'être meilleure que lui. Père se lassa de l'éducation de son fils. Son peu de tendresse et d'affection, il le reporta sur moi. Il me réclamait, me demandait de réciter un poème qu'il écoutait les yeux fermés, un sourire au coin des lèvres. Puis, il me récompensait par une phrase gentille, une caresse, un cadeau. Ses séances de méditation dans le fumoir se prolongeaient. Il ne venait plus au cours contrôler l'assiduité de Chunyi. Selon ses humeurs, il infligeait au garçon une lourde punition, lequel, à son tour, se vengeait sur moi de ses rancœurs. Mes gémissements et mes sanglots lui procuraient alors un apaisement. Je ne le dénonçais pas, c'était mon secret. La violence de mon père me répugnait et celle de mon frère froissait seulement mon cœur. Nous étions proches, Chunyi et moi, bien qu'il me méprisât et me tînt à distance. Père était un étranger dans notre univers, nous qui avions partagé la vie avant la vie.

Père avait entendu dire que la cithare pouvait apprivoiser les sauvages, adoucir les caractères et rendre les impies croyants et vertueux. Il fit venir le meilleur maître de cithare de la province de Sichuan, souhaitant remettre Chunyi sur le droit chemin. Le vieillard n'acceptait pas d'élèves du sexe impur, mais je suppliai Mère d'intervenir en ma faveur. L'instrument que nous cherchions à apprivoiser nous répondait par des grincements. Mon frère, enthousiasmé d'abord par la cithare antique que Père lui avait achetée, se découragea rapidement. Il lui manquait le sens du rythme et la volonté de persévérer, surtout quand les cours de musique lui enlevaient quelques parcelles d'oisiveté et lui attiraient de nouvelles réprimandes. Plus littéraire que musicienne, je domptais la cithare avec beaucoup d'application parce que Chunyi était là et qu'il fallait le dépasser. Je progressais vite, étonnant mon maître par ma mémoire et mon habileté. Bientôt, je pus jouer des airs sans faute, tandis que la cithare de mon frère bégayait, sonnait faux et restait sans âme.

Je n'y éprouvais aucune jouissance particulière excepté celle de briller. Cette musique m'était impéné-
trable. Mais j'aimais entendre jouer notre maître,
après maintes supplications de mon père, quand un
dîner familial s'achevait dans l'harmonie. Mon maître
levait la tête pour vérifier si la nuit était bien éclairée
par la lune, et le jardin baigné d'un air limpide. Il
demandait un bassin d'eau claire pour se laver les
mains. Le vin lui avait chauffé l'âme et l'avait délivré
de toute gravité, de toute rigidité. Il s'asseyait sous le
pin géant devant lequel son valet avait déposé une
table et la cithare de Tang. Il pinçait les cordes. Le
son était faible mais distinct comme un murmure à
l'oreille. Les notes coulaient tel le ruisseau qui con-
tourne les arbres, caresse les rochers et se transforme
en cascade. Le vent qui traversait notre jardin faisait
frissonner les fleurs. Mais l'air de cithare glissait par-
dessus les massifs et apaisait leur turbulence. Mon
frère dormait, bouche ouverte. Il était frappé d'un
mystérieux sommeil dès que la musique s'élevait.
Père, les yeux fermés, méditait. Le son de la cithare
avait poussé une porte invisible et je commençais à
distinguer les moindres bruits que produisait la nuit :
le crissement d'un insecte, le froissement des feuilles,
le battement d'une aile. L'immensité venait à moi :
les herbes des steppes ondulaient, un cheval hennis-
sait, les vagues clapotaient, les poissons s'enfuyaient
dans l'eau. Lentement, ces bruits disparurent comme
une brume qui s'évapore. Seul, l'air de la cithare continuait, s'affaiblissait, et l'esprit qui le suivait descendait peu à peu dans un silence abyssal. Devenue imperceptible, la musique était à présent un fantôme
qui nous guidait vers le royaume des ténèbres. Sou-

dain, elle se métamorphosait en grue blanche, déployait ses ailes et s'élançait dans le ciel obscur, devenant une tache que l'œil ne distinguait plus.

À douze ans, mon frère montait un grand cheval blanc, portant sur son dos un carquois en cuir incrusté de dessins dorés. Dans sa tenue de cavalier, ses larges épaules soutenaient le ciel. Sa tête nue touchait les nuages. Un faucon masqué s'agrippait à son bras droit entouré d'une épaisse bandelette. D'un mouvement impétueux, il dirigeait son cheval vers une porte latérale ouverte par le palefrenier. Telle une flèche, il s'enfonçait dans un monde dont l'accès m'était interdit. Il revenait à la nuit tombée, à l'heure où, souvent, Père s'enfermait dans son fumoir pour n'en ressortir que le matin. Mon frère longeait les galeries en faisant un grand vacarme. On le reconnaissait au bruit arrogant de ses pas. Son vêtement était déchiré, des feuilles, des plaques de boue séchée y étaient accrochées. Il puait la sueur, la fumée. Mais ses yeux recelaient l'orgueil d'avoir contemplé un pays mystérieux.

Le haut plateau le hantait par son immensité, ses habitants l'hypnotisaient par leur rudesse. Il chassait avec les domestiques mais aussi avec les gamins mongols et tibétains. Il les préférait aux enfants des bergers chinois, à cause de leur rire sauvage, de leur chant acéré, de leur regard indomptable. Ils lui avaient appris la chasse au faucon, l'escalade, la lutte à mains nues.

Les murs familiaux étaient une frontière. En la franchissant, il changeait de caractère. Sa joie retombait. La haine et la vanité lui remplissaient le cœur et en chassaient l'insouciance. La tyrannie paternelle le terrifiait et le fascinait. Il imitait Père en me rudoyant. Sa jalousie avait atteint son paroxysme. Il se sentait dépossédé, condamné à être l'ombre faisant ressortir ma lumière. Il avait peur de devenir un astre mort.

J'avais étudié tous les livres canoniques et lu des centaines de poèmes. Je connaissais tous les arbres, tous les contes représentés sur les plafonds, tous les monstres sculptés et dressés sur les toits ou gravés dans les murs. Pourtant le printemps et l'automne alternent et personne n'avait su m'en donner la raison.

Les saisons partaient et revenaient, les fleurs se fanaient et refleurissaient, je n'avais jamais rencontré un esprit, un fantôme, une amie. À mon treizième anniversaire, je tombai malade.

Ce n'étaient que des étouffements. Mais j'en perdis le sommeil et l'appétit. Je devenais irritable. Nombre de médecins étaient venus à mon chevet, nulle prescription n'était efficace. C'était l'hiver, long et calme. Je passais mes journées assise sous la fenêtre, les mains serrant un chaudron dans un manchon d'hermine. Il neigeait et sur le papier de riz qui couvrait les croisées, de gros flocons dessinaient des ombres.

Le printemps arriva en retard. Quelques crocus bleus percèrent les plaques de neige. La terre était humide, noir d'encre. Puis, un jour, le soleil brilla de tout son éclat et reverdit les arbres. Le lendemain, après que je l'eus maintes fois suppliée, Mère me laissa sortir. Je me promenai dans le jardin, m'arrêtant souvent pour reprendre mon souffle. L'air était chaud et léger. Mais l'univers n'était pas encore en fleurs ; on n'entendait ni les abeilles bourdonner, ni les grues crier.

Tristement, je levai le visage. Des rubans de nuages flottaient. Soudain, un cri plaintif suivi d'un bruissement. Des grues blanches traversèrent le ciel en escadrille. Elles passèrent au-dessus de ma tête, majestueuses, légères. Les suivant du regard, j'eus l'impression de m'envoler quand le mur du jardin coupa mon horizon et me ramena à la terre. Prise de fureur, j'ordonnai à ma servante de me porter sur ses épaules et je grimpai sur un cyprès centenaire. Une grosse branche avait poussé à l'horizontale, se jetant par-dessus le faîte du mur comme un pont. Je fis taire la jeune fille qui gémissait de panique et rampai jusqu'au mur. Je nouai ma jupe et m'y installai à califourchon.

Je levai les yeux.

Pour la première fois je vis mon pays. Plusieurs centaines de pieds plus bas, sur une steppe immense, vaches, moutons, yacks se déplaçaient comme des troupeaux de nuages chassés par le vent. À gauche et à droite, serpentaient des chaînes de montagnes dont les cimes accueillaient les neiges éternelles. À l'horizon, un lac, large, étincelait entre le ciel et la terre. Les grues s'y dirigeaient ; d'autres essaims d'oiseaux, réduits à des taches noires, y tournoyaient.

J'eus envie de me jeter, moi aussi, dans le vide, dans le ciel.

Je passai le reste de la journée dans une excitation extrême. Je riais, mangeais de bon appétit et bavardais fébrilement. Sous mes menaces, la servante avait juré de garder mon secret. Le soir, sur mon lit, repassèrent devant mes yeux les paysages extraordinaires et je m'endormis avec le bonheur de celle qui possède désormais un empire.

À quatorze ans, Chunyi avait, de temps à autre, des accès d'affection pour sa sœur jumelle. Il essayait de me parler, de m'expliquer les armes qu'il maniait, mais la patience lui manquant, il s'énervait et me quittait en colère. Il me ramenait des brassées de fleurs sauvages, plus bleues que la nuit, plus blanches que l'aurore. Son enthousiasme était tel que ma réserve le décevait. Alors il jetait le bouquet par-dessus le mur. Je pleurais. Pris de remords, il repartait pour me ramener un œuf ou une jolie plume.

Une fois qu'il était rentré trempé, il me chercha dans toute la maison, tenant entre ses mains un bol rempli d'eau claire. Une étrange plante y flottait dont les feuilles vertes rappelaient les plumes d'un oiseau. Un poisson transparent y nageait. Mon frère m'avait ramené un habitant de ce lac lointain que je contemplais depuis le faîte du mur !

Mon frère et moi étions réconciliés sans avoir prononcé de parole de paix. Nous pensions que notre univers était divisé en deux. D'un côté, il y avait Mère et nous, de l'autre, Père et ses concubines.

Elles étaient trois, et nous les appelions « Mère ». Elles étaient d'une race à part, de petits animaux aux dents acérées qui se réfugient dans des terriers profonds. Elles étaient la peur, la fascination, la cruauté. Elles nous éblouissaient et nous terrifiaient par leur langage vulgaire, leurs manières plus brutales que celles de notre mère mais plus raffinées que celles des servantes. Sur leurs visages, on lisait le dépit, l'envie, la langueur.

Les enfants de la steppe ont une maturité précoce. Au printemps, lorsque le couchant avait teint de rose les crêtes enneigées, les jeunes garçons, torse nu sous leur peau de chèvre, rentraient lentement les troupeaux. Les filles allaient retirer le linge qu'elles avaient fait sécher au vent et préparaient la cuisine. Les garçons chantaient, lorsqu'ils passaient devant la porte de la yourte d'une jeune fille. Les voix étaient rauques, pleines d'un désir qui faisait rougir le ciel. Parfois s'élevait le chant ardent d'une vierge qui rêvait de devenir femme. Cette mélodie, reflet du paysage, exprimait la joie en airs déchirants.

À ces moments, Chunyi, qui suivait ses amis sans desserrer les dents, sentait le sang s'échauffer dans ses veines.

La première concubine était une fille de forains. Notre père l'avait choisie pour ses doigts agiles qui jouaient de la biba comme ceux d'une déesse ; la deuxième venait d'une famille bourgeoise ruinée ; la troisième, la plus belle, la dernière épousée, avait été découverte dans une foire du temple où, vêtue d'une tunique grise, tête rasée, elle demandait l'aumône.

À vingt ans, elle envoûtait la maison par son visage, sa bonne humeur et attendrissait les cœurs par le récit de son enfance orpheline. Mais Chunyi et moi avions peur de ses yeux bridés jusqu'aux tempes, où roulaient des prunelles semblables à deux anguilles noires. Lorsque Chunyi eut atteint la même taille qu'elle, cette femme, qui l'avait ignoré, se mit à le taquiner. Il la fuyait mais la fuite l'incitait à le poursuivre sans relâche. J'étais indignée mais ne savais que faire. Je souffrais en silence.

Mon frère l'évitait. Il avait honte de sa transformation. Sa voix s'était, un jour, mystérieusement déchirée. Il croassait dès qu'il ouvrait la bouche. Tous les mois, il se mesurait contre un mur où il marquait sa hauteur. Sa croissance l'inquiétait et le déconcertait.

Un jour, il se contempla dans mon miroir et ne se reconnut pas. Il avait perdu les traits dodus de son enfance et portait sur ses lèvres l'ébauche d'une moustache. Ses joues s'étaient creusées et ses yeux, soulignés de longs cils noirs, l'angoissaient.

Le soir même, il rêva d'une femme nue. Saisi d'un étrange sentiment de culpabilité, il se cacha derrière un bosquet de fleurs. Mais la jeune femme qui s'approchait de lui se révéla être un cheval. Il se leva, voulut la prendre par la bride et découvrit avec frayeur que cet animal avait la tête de la troisième concubine. Elle lui sourit, lui tendit le cou pour se frotter contre lui, il poussa un cri et se réveilla.

Je devenais taciturne et lisais davantage. Je m'épanchais en jouant de la cithare. J'avais appris dans les poèmes tout le symbolisme de la nature qui perdit pour moi son innocence. La lune évoquait la solitude, et la solitude l'incompréhension ; les fleurs se fanaient, avec elles, le temps fuyait ; les intempéries décrivaient la cruauté du monde déchaîné contre la beauté. J'étais hantée par le destin funèbre réservé aux femmes lettrées : la princesse Wang Zhaojun était sacrifiée par son empereur qui l'avait obligée à quitter la Chine et à épouser le roi des Tartares ; pour ne pas être souillée par les ennemis, la belle courtisane Perle verte s'était jetée par la fenêtre de son pavillon ; la poétesse Zhu Shuzheng avait épousé un commerçant qui la rudoyait, et sa vie se noyait dans les larmes ; la poétesse Li Qingzhao avait fait un bon mariage, mais la guerre l'avait ruinée et exilée. Elle mourut de chagrin et de pauvreté.

J'avais le teint pâle, les pieds déformés par les bandeaux et comprimés dans des chaussons brodés. Mes seins s'arrondissaient et me faisaient mal. J'eus mes règles. La première fois, ce furent des traces noirâtres. La deuxième fois coula du sang rouge et je compris les gémissements des servantes qui avaient leur « période ». Une fois par mois, pendant cinq jours, le vertige, la migraine, les maux de ventre, les frissons, les bouffées de chaleur me clouaient au lit.

Chunyi, intrigué par cette maladie, vint m'espionner, sous prétexte de m'offrir un oiseau et des libellules. Je le chassai avec impatience. Les libellules volaient et tournaient dans la chambre. L'oiseau, jeté par la fenêtre, s'élança dans le ciel et disparut. Saisie de mélancolie, je me mis à sangloter.

La vieille Naima était morte en dormant. La rumeur disait qu'elle avait un sourire étrange au coin des lèvres. Une autre était venue me coiffer. Elle avait travaillé dans l'appartement de ma mère et me confessa qu'on avait décidé de me marier.

Mon père allait m'échanger contre le pouvoir, l'argent, les honneurs, comme tous les pères !

J'oubliais mon chagrin sur le faîte du mur. Maintenant, je ne vivais que pour ce paysage. Mes yeux, habitués à l'immensité de l'espace, savaient suivre l'aigle dans le ciel et les cavaliers sur les steppes. J'écoutais le vent qui bruissait. Je rêvais d'avoir les bras assez longs pour étreindre la terre et le ciel contre ma poitrine.

Une rumeur nous apprit la chute de l'Empire mandchou. Toute la maison fut bouleversée. Mon père, réveillé de la torpeur de l'opium, parlait d'un voyage à Pékin pour vérifier si les barbares étaient vraiment chassés. On allait peut-être déménager. J'étais impatiente de connaître la capitale. La nouvelle avait retardé le projet de mon mariage. Mais d'autres rumeurs parvenaient à nos oreilles. On disait qu'une République, dirigée par un président, avait été proclamée et qu'elle avait aussitôt péri. Un seigneur de la guerre était monté sur le trône et s'était fait couronner empereur. On rapportait encore que son règne n'avait duré que cent jours et que de nouveau, c'était la République. Mais le feu des hostilités avait embrasé le pays, et les grands prédateurs s'entretuaient pour le siège de président. Puis les nouvelles devinrent confuses. Pourtant, une certitude s'imposait : les guerres s'étaient achevées, mais on ne savait plus qui était le vainqueur. À la maison, on perdit l'enthousiasme, puis la vie reprit son cours.

On fêta notre seizième anniversaire avec pompe. Une troupe d'opérette chanta pendant trois jours. Après une représentation, je fis venir les chanteuses.

Il semblait que, dehors, le monde eût changé. On s'habillait différemment ! Les femmes se vêtaient d'une veste de soie au col relevé et de pantalons aux bords brodés. La robe mandchoue était à la mode. Chez les plus coquettes, elle moulait le corps, dénudait les bras. Largement fendue, elle laissait voir le haut des jambes. En ville, on ne bandait plus les pieds. On parlait de l'école publique. Le soir, il y avait des bals dans les grands hôtels. On jouait de la musique étrangère. Des femmes s'habillaient comme les femmes blanches : elles portaient des colliers de perles, des robes cousues de brillants qui s'arrêtaient aux genoux. Le cou, le dos, les bras, la gorge nus et poudrés, elles virevoltaient, chaussées de satin, de soie, avec des talons aiguilles. Les chanteuses parlaient de bateaux à vapeur, de chemins de fer, de voitures sans cheval. J'écoutais les récits, les yeux écarquillés. Pourquoi chez nous le temps était-il immobile ?

« Alors, avez-vous vu la capitale ? » leur demandais-je d'un air mystérieux.

Les filles secouaient la tête.

C'était loin, bien loin, Pékin, au nord, dans le brouillard. Il fallait franchir le fleuve Bleu, le fleuve Jaune.

Après l'anniversaire, je songeai à m'enfuir de la maison. Mais je ne savais pas monter à cheval, ni comment traverser les montagnes qui faisaient barrage à ma liberté. J'achèterais quelqu'un qui me conduirait. Je volerais les vêtements de Chunyi pour me déguiser en garçon. Je remplirais ses bottes avec des tissus et du coton comme Mulan l'avait fait pour pouvoir partir à la guerre. J'allais voyager, comme Grand-Père que je n'avais jamais connu. J'apprendrais à chevaucher, à manier l'épée. Je traverserais plaine, désert, parcourrais les monts célèbres, visiterais les temples perchés aux plus hauts sommets, contemplerais les flots impétueux, les rochers abrupts, les ruines antiques. J'arriverais à la capitale, où je m'installerais dans un vieux quartier. Sans ambition politique, je mènerais la vie d'un lettré insolent. De temps à autre, je souffrirais de la nostalgie de mon pays natal. Je me tournerais alors vers l'ouest, où le soleil se couche, à l'heure où Père allait se recueillir dans son fumoir et Chunyi galopait sur la steppe pour rentrer. L'amour, la tristesse, la félicité allaient remplir mon cœur.

Était-ce cela, la vie ?

La troisième concubine hantait mon frère. Lorsqu'il terminait ses leçons, il l'apercevait dans le jardin. Sa robe rivalisait de beauté avec les fleurs ; l'éventail qu'elle agitait était un papillon volant. Il la rencontrait aussi dans la galerie où il ne pouvait l'éviter. Appuyée contre la balustrade, elle l'arrêtait. Elle lui faisait des remarques. Qu'il était sale ! Qu'il était mal vêtu ! Qu'il avait le visage hâlé comme un berger ! Elle piquait sur son chignon des fleurs de jasmin. Lorsqu'elle s'éventait, la manche de sa tunique glissait, dévoilant son poignet fin et son avant-bras nu. Chunyi rougissait et elle riait derrière son éventail.

Quand Chunyi allait saluer sa mère, il était surpris de la trouver là, déjà assise sur une chaise. Elle bavardait, buvait sa tasse de thé, grave et modeste. Il était obligé de s'incliner profondément devant elle en l'appelant « Mère ». Aux jours de banquet ou de grande fête, insupportable, elle flattait le père, faisait rire la mère, me complimentait. Jamais elle ne lançait un seul regard à Chunyi.

Il se fâcha et songea à se venger. Mettre un rat mort dans son lit était une idée puérile. Se déguiser une nuit en fantôme manquait d'originalité. Une pensée étrange lui vint à l'esprit et tourna aussitôt à l'obsession : l'espionner dans son bain.

Il l'aurait vue, nue dans sa bassine, sans que personne s'en aperçût.

Honte à celle dont on aurait connu la nudité, double honte pour la troisième concubine qui ignorerait sa honte. Être perdue sans le savoir n'est-ce pas la plus triste humiliation qu'une femme puisse subir ? La troisième concubine ne serait alors aux yeux de Chunyi qu'une femme souillée. Ses provocations, ses éclats de rire perdraient toute leur puissance.

Le projet était plein d'audace et de folie. Mais mon frère ne raisonnait jamais en garçon ordinaire. Seuls les actes les plus risqués lui semblaient cohérents.

L'occasion s'offrit, en une journée douce. À la cuisine, on faisait chauffer de l'eau dans une énorme marmite. Mon frère, qui avait l'œil sur tout, se renseigna et on lui répondit que c'était pour la troisième concubine. À l'heure de la sieste, deux robustes servantes vinrent chercher le bassin de bois qui contenait l'eau du bain. Le garçon attendit leur départ de l'appartement pour s'y introduire sur la pointe des pieds. Les servantes faisaient la sieste dans leur chambre. Il traversa trois pièces sans rencontrer personne.

La chaleur devenait lourde. L'air était imprégné d'un parfum de santal mêlé au musc.

Il se heurta à une porte fermée. De l'autre côté, s'échappait le clapotis des eaux. Il souleva discrètement le rideau de soie qui y était accroché en guise de portière. Il entendit la voix de la troisième concubine ordonnant à une fille de lui frotter le dos. Il allait faire un trou dans le papier de riz pour y coller son œil, lorsque la troisième concubine se mit à gémir de satisfaction. Ses petits soupirs intermittents griffèrent la peau de Chunyi. Il se tenait immobile, comme ivre, comme enragé, mourant de soif, de fièvre, cependant incapable de faire le moindre mouvement.

Soudain, un coup de tonnerre. Il se sauva en courant. Une fois dehors seulement, en respirant l'air frais, il comprit qu'il avait été surpris par l'horloge qui s'était mise à sonner.

Il erra longtemps dans le jardin. Le sang battant à ses tempes, des désirs inconnus, indescriptibles s'amoncelèrent en lui, mais la tempête ne se déclencha pas. Chunyi crut qu'il allait devenir fou.

Il s'arrêta par hasard devant une porte de lune qui donnait sur une cour fleurie. Il reconnut l'appartement de la première concubine et y entra pour fuir sa folie.

Elle avait le même âge que notre mère, Chunyi l'aimait bien à cause de cela. Patiente, elle savait écouter. Parfois, il lui confiait ses rancœurs et ses fantaisies. Comme elle s'était épaissie depuis qu'elle avait dépassé la trentaine, elle se plaignait d'étouffements et Chunyi en avait pitié.

Elle venait de se réveiller. Une mèche de cheveux s'échappait de sa coiffe et tombait sur son épaule. Chunyi remarqua que son visage, plus beau que d'habitude, rayonnait de gentillesse et de douceur.

Elle l'invita à s'asseoir dans le salon et lui offrit une tasse de thé. Elle demanda pourquoi il était si pâle. Il ne répondit pas.

Elle sourit et n'insista pas. Elle l'interrogea alors sur ses études, ses parties de chasse et lui proposa de jouer aux échecs. Le jeu détendit Chunyi. Il oublia ce qui venait de se passer, devint joyeux et bavard. En plaçant les pions, il lui raconta sa dernière traque au faucon.

Les servantes se retirèrent. La tension du jeu augmentait, on cessa de bavarder. Seul le bruit sec des pièces rompait le silence. La première concubine appuyait la tête sur sa paume et Chunyi remarqua qu'elle portait un anneau d'agate au majeur. Ses doigts étaient d'une blancheur immaculée. Des fossettes se creusaient selon l'inflexion de la chair. Le petit col de sa chemise de soie lui serrait le cou, laissant voir la rondeur de ses épaules. Brusquement, la tête de mon frère s'échauffa et il posa une main sur sa gorge.

Elle frissonna, le prit par le poignet et le gronda doucement.

On recommença la partie. Mais Chunyi, envoûté, ne pensait qu'à cette chair qu'il venait d'effleurer. Il recommença le même geste, cette fois avec plus de détermination. La chaleur du sein traversa le mince tissu de soie jusqu'à sa paume.

Elle se leva pour partir mais il la retint. Elle lui dit, d'une voix éteinte, qu'il était devenu fou et que l'on pouvait le surprendre. Tremblant, il la serra dans ses bras.

L'odeur de vanille qu'elle dégageait était tendre. Il la respirait avec ivresse. Sa chair qui ondulait sous le vêtement était celle du bonheur, de la tranquillité. Il avait réussi à s'accrocher ainsi à son cou pendant un long moment, avant qu'elle se retirât, défaillante.

Je m'étais levée le matin avec mélancolie. Un mauvais rêve était venu me visiter. Mais, comme d'autres qui s'étaient emparés de mon sommeil de ces derniers jours, je ne m'en souvenais pas. Pourtant ce cauchemar-là avait été horrible. Même quand je sortis de ma chambre et marchai sous un soleil radieux, mon cœur palpitait d'effroi. Le précepteur malade, ma journée était libre. À contrecœur, ma servante me hissa sur le cyprès. Installée à califourchon sur le mur, j'ouvris le livre que j'avais apporté. Mais je ne parvenais pas à me concentrer sur ma lecture. Les poèmes étaient muets et le silence m'oppressait.

J'abandonnai le livre pour regarder le paysage.

Les montagnes n'étaient pas encore fleuries par le printemps. Enlaçant le lac, elles ressemblaient à deux bras nus tenant un miroir.

Un poème du sixième Dalaï-lama[1] que mon père avait fait traduire du tibétain me traversa l'esprit :

> « Roi de la mort et des enfers,
> toi qui tiens le miroir des actes,
> délivre-moi de cette vie
> et bénis-moi dans la prochaine ! »

Je m'en voulus aussitôt de m'être rappelée ces vers au mauvais présage. Je repris mon livre, mais mon esprit était troublé. Je descendis de l'arbre et m'en allai chez Mère. On me répondit que des broderies venant d'être livrées, elle était allée chez mon père les examiner. Je n'aimais guère voir Père. Mais j'espérais recevoir enfin la nouvelle courtine de mon lit où les mains les plus habiles de la province devaient broder neuf cent quatre-vingt-dix-neuf papillons. L'impatience et la bonne humeur me gagnèrent. Une courtine merveilleuse chasserait mes hideux cauchemars !

Pour éviter Père, j'entrai chez lui par une porte de

---

1. Sixième Dalaï-lama : Tsangyang Tsomo Gyatso, « Océan du Chant Mélodieux » (1683-1706).

service. Devant le vestibule, les domestiques assis sur les marches faisaient un somme : Père n'était donc pas encore réveillé de sa sieste. Par la porte du petit salon, je m'introduisis dans la salle de calligraphie. Pour contourner la chambre à coucher et atteindre la pièce où ma mère faisait étaler les broderies sur un grand lit, je me glissai dans la bibliothèque. Une étagère sculptée et chargée de livres séparait l'espace de lecture et les armoires. Une porte en demi-lune y était aménagée, voilée d'un rideau de gaze. J'allais soulever le rideau, lorsqu'un toussotement me surprit.

D'un geste lent, j'enlevai quelques livres de l'étagère et vis le dos de mon père.

Il écrivait.

J'allais me retirer doucement, quand la troisième concubine arriva comme une furie.

« Monseigneur, cria-t-elle, le visage décomposé. Vous êtes trompé ! La première concubine, la grosse chienne, vous a déshonoré ! »

Père leva la tête.

« Tout à l'heure, je me suis arrêtée devant chez elle. J'allais entrer dans ses appartements pour la saluer, quand le vent a soulevé le rideau de la portière et j'ai vu Chunyi dans les bras de cette infâme créature ! »

Père jeta brusquement son pinceau et se dressa. La troisième concubine, effrayée, recula d'un pas. Mais aussitôt, elle se ressaisit.

« Ah, Maître, punissez-la ! » gémit-elle. Des larmes jaillirent de ses yeux. « Chunyi, terrifié, voulait partir. Mais la Première le retenait, l'embrassait, lui murmurait des obscénités... Monseigneur, il faut la fouetter, la faire pendre... »

La chaise de mon père se renversa, interrompant le récit. Les valets, avertis par le bruit, accoururent. Mon père fit appeler la première concubine qui, un moment plus tard, lui fit savoir que, souffrant d'étouffements, elle s'était couchée.

Père décrocha du mur l'épée de Grand-Père, écarta la troisième concubine qui feignait de le retenir. Il s'élançait vers la porte quand Mère entra, tenant à la main une écharpe brodée. Mon père la bouscula en criant que personne ne pourrait l'arrêter. Désemparée, ma mère interrogea les valets, mais aucun ne sut lui répondre. Père franchissait le seuil quand ma mère se jeta sur lui pour lui arracher son épée. Il la gifla.

« Aujourd'hui, dit-il en riant comme un possédé, je vais couper le fil qui me rattache à ce monde de poussière. »

Un rictus lui déformant le visage, il ajouta :

« Plus d'héritier, plus de dégénérescence. J'aurai enfin la conscience tranquille quand je quitterai ce monde. »

Ma mère se précipita à nouveau sur mon père. Elle l'immobilisa en lui tenant les jambes et cria qu'on désarme le maître. Mon père menaçait de mort tous ceux qui l'approchaient. De la pointe de son épée, il blessa un valet.

Je pris le chemin par lequel j'étais venue, courant autant que mes pieds bandés me le permettaient. Je passai d'abord dans ma chambre puis me précipitai chez mon frère. Allongé sur son lit, les mains derrière la nuque, il rêvassait en regardant le plafond de sa courtine.

Il me vit et demanda en souriant pourquoi je pleurais.

« Pour toi, fils indigne. Père veut te tuer.

— Qu'ai-je fait encore ? dit-il avec nonchalance, aujourd'hui le précepteur est malade. Bien sûr, je ne suis pas allé à l'école.

— Il sait tout, moi aussi, lui dis-je en riant méchamment, inutile de t'expliquer. Il a en ce moment une épée à la main et Mère essaie de l'arrêter. »

Son visage changea de couleur. Il se redressa. Essoufflé, son valet arriva et le supplia de se cacher.

Mon frère prit peur. Dans son égarement, il me demanda :

« Que dois-je faire, petite sœur ? que dois-je faire ?

— Lui tendre ton cou, pour ce que tu as osé. »

Un vacarme venant du jardin nous fit tressaillir tous deux. Je lui jetai une énorme bourse.

« Ce sont mes bijoux et l'or que j'ai reçus en cadeau. Pars, quitte la maison. »

Il parut contrarié. Visiblement, il n'avait jamais songé à s'éloigner de la famille. Révoltée contre sa lâcheté, je ne lui cachai plus mon mépris :

« Un homme doit abandonner les siens pour se frayer un chemin dans le monde. Qu'attends-tu tous les jours sous le toit paternel ? Devenir plus tard un fumeur d'opium comme lui ? Va-t'en d'ici. La vie est ailleurs ! »

Je lui tendis la main et le tirai de son lit.

Épouvanté, mon frère choisit machinalement quelques vêtements. Il serra ses lingots, ses bijoux avec ceux que je venais de lui donner. Je l'aidai à faire un balluchon qu'il attacha sur son dos. À l'écurie, on équipa son cheval. La servante que j'avais envoyée à la cuisine nous apporta de la nourriture et des gourdes remplies d'eau. Mon frère monta en selle et j'ordonnai qu'on ouvrît la porte. Il regarda autour de lui, hésitant encore à partir.

Des cris s'élevèrent brusquement des pavillons intérieurs, et le réveillèrent de sa torpeur.

Sur le seuil de la porte, le cheval piaffait. Chunyi se retourna :

« Où vais-je ? me demanda-t-il.

— À Pékin, la capitale !

— Quand reviendrai-je ? »

Mais le cheval s'élançait déjà sur un large chemin qui descendait en zigzaguant.

Je fis quelques pas et franchis à mon tour le seuil de la porte.

La grandeur sauvage du monde extérieur me fit frissonner.

« Adieu », criai-je. Des larmes jaillirent et troublèrent ma vue. « Mon frère, nous nous reverrons ! »

Je m'essuyai les yeux du revers de la main. Chunyi se retourna encore une fois, bientôt le cheval et lui devinrent une tache noire qui se confondit avec l'ombre de la vallée.

Je revins aux appartements en sanglotant. Une nouvelle frayeur s'empara de moi : était-il inscrit dans le sort de mon aîné de quitter la maison et d'errer par le monde ?

J'aurais pu lui conseiller de se réfugier chez des amis et de revenir quand la colère de Père serait apaisée.

Par ma seule détermination, je venais de brouiller les cartes de la Destinée.

La nuit tomba et la lune s'alluma.

Les montagnes, géantes, s'étiraient, se dressaient en ricanant.

Fuyant sa peur, Chunyi galopait.

Par moments, il réfléchissait :

Des milliers de *lis*[1] le séparaient de Pékin. La route du Sud était large, carrossable et verdoyante. On y rencontrait des caravanes, des commerçants, des artisans ambulants. Des bourgades, de riches campagnes, des villes peuplées se succédaient. En prenant le bateau à Chongking, il pourrait descendre le fleuve Bleu jusqu'au sud-est du pays, d'où il remonterait vers le nord après s'être rafraîchi dans la douceur du climat, promené dans les vastes bourgs, célèbres depuis l'Antiquité pour la beauté du paysage et des femmes.

La deuxième route était la plus courte. En se dirigeant vers le nord-est, il rejoindrait le couloir de l'ouest du fleuve Jaune. Par le Chemin de la Soie, il franchirait la Grande Muraille et arriverait à l'antique capitale Xian. Une fois le fleuve traversé, il galoperait en direction de la plaine de Pékin.

Mais les domestiques l'avaient vu sortir. Même si je ne le trahissais pas, sous la torture, certains risquaient d'avouer et le tyran enverrait ses fidèles valets pour le ramener attaché à la maison.

Il fallait choisir un chemin ignoré de tous. Il se souvint qu'au cours d'une partie de chasse, les Mon-

1. Un *li* est une mesure itinéraire chinoise d'environ 576 mètres.

gols lui avaient désigné du doigt l'horizon septentrional. Autrefois, lors de la grande sécheresse, quelques familles avaient grimpé les montagnes, traversé le désert, pour rejoindre les steppes de Mongolie. Là-bas, le grand sentier des Tartares se dirige vers Pékin.

Il s'arrêta d'un coup et leva les yeux. Le ciel s'étendait au-dessus de sa tête, telle la coupole d'une tente de velours. Les étoiles s'allumaient, s'éteignaient. Parmi elles, il reconnut la Grande Ourse qui montrait le nord, et chevaucha dans cette direction.

Pourquoi Pékin ? Il l'ignorait. Mais mes cris résonnaient à ses oreilles et il obéissait à mes recommandations par lâcheté, par paresse. Pékin, pour un égaré, indiquait au moins une orientation.

Quand la lune arriva au zénith, Chunyi descendit de cheval. Assis contre un rocher, enveloppé de sa cape doublée d'hermine, il contemplait le feu. Réchauffé par la chaleur des flammes, il se sentait brisé de fatigue. Les scènes de l'après-midi repassaient devant ses yeux et il se demandait ce qu'était devenue la première concubine. Avant de s'endormir, il se souvint des mains délicates des servantes, de l'eau chaude dans la cuvette d'argent pour se laver le visage, du thé tiède pour se rincer la bouche.

L'air frais du matin le réveilla en lui piquant le nez.

Chunyi étendit ses jambes lourdes. S'il rentrait à la maison ? Son père, dont la nuit aurait calmé la colère, lui pardonnerait peut-être. Était-il capable d'égorger son unique héritier ? « Demain, je retournerai à la maison », se promit-il en se recroquevillant. Il s'endormit à nouveau.

Il erra deux jours en direction du nord. Le souvenir des punitions corporelles le faisait tressaillir chaque fois qu'il voulait détourner son cheval.

La route commençait à s'agripper à la montagne de plus en plus escarpée. L'ombre des nuages frôlait la forêt. D'innombrables cascades, provenant de la fonte des neiges, chutaient dans les précipices. Au quatrième jour, les arbres disparurent, et s'élevèrent des sommets nus, tranchants comme la lame d'une scie. Leurs arêtes coupaient le cordon ombilical de l'homme avec la terre, le livrant à une solitude céleste. La neige était là, sur les cimes, comme des oiseaux géants. Le cri des animaux se mêlait au roucoulement des eaux, au ululement du vent. Le silence planait, puis piquait soudain sur le jeune homme qui se réveillait et se redressait sur sa monture.

Parfois, il se douchait sous une cascade. L'eau glacée fouettait son dos, tordait son cou, faisait vibrer sa tête. Puis, il grimpait sur un rocher plat et s'y étendait. La chaleur d'une terre sèche montait dans son âme. Dans le ciel, un aigle passait, ailes déployées. Chunyi soupirait. C'était lui, perdu entre le ciel et la terre, entre la vie et la mort.

Le soir, la lune, entre deux sommets, le saluait. Au fil des jours, elle s'arrondissait. Autour de Chunyi, l'obscurité construisait un mur. Le feu était le seul lien qui le rattachait au monde des humains. Leur faible crépitement défiait la montagne qui mugissait.

Le chemin commençait à descendre en lacet et la chaleur montait. Chunyi avançait. La force de rentrer lui manquait et celle de continuer commençait à lui faire défaut. Depuis longtemps, il avait cessé de réfléchir. De temps à autre, il grondait son cheval, qui lui répondait pareillement. La faim et la soif étant devenues ses seules sensations, il crut devenir animal à son tour.

Les montagnes dressaient leurs sommets nus et leurs flancs rocailleux devenus ocre. Des buissons et des touffes d'herbes escaladaient les parois plissées. L'univers avait pris un aspect sinistre. Quelques rares collines boisées se démultiplièrent en une infinité de monticules arrondis, recouverts de poussière rousse, de pierres grises où les herbes nouvelles avaient déjà une teinte jaune. La vallée ondulait dans l'ombre, sur une terre blanchie par le vent fiévreux. Les dernières verdures disparurent. Les coteaux s'aplatirent ; au tournant d'un col, du haut de son cheval, Chunyi vit un océan de sable.

Des rocs gigantesques aux formes tourmentées se dressaient çà et là contre le ciel. Pas un oiseau, pas une trace de vie, seul circulait le souffle du soleil entre les sables et le vide.

Le jeune homme fronça les sourcils et lâcha un juron. Le désert lui fit rêver de ce qu'il y avait au-delà : les steppes, les fleuves, les villes ou s'affairaient des centaines, des milliers de personnes. Un jour, il marcherait dans cette foule et se souviendrait de cet instant où il choisit de braver le néant.

Il passa le reste de la journée dans la montagne. Comme il avait observé les préparatifs de voyage chez les Mongols, il remplit ses gourdes d'eau, chassa un gibier qu'il fit rôtir sur le feu et attacha sous sa selle. Il rassembla quantité de lichens et de touffes d'herbe pour son cheval.

Il marchait la nuit, guidé par la Grande Ourse. Le jour, il s'enveloppait dans son manteau d'hermine et se réfugiait à l'ombre d'un rocher.

À la troisième journée, réveillé par le tintement sourd des cloches, il vit passer, à cinq pas de lui, une caravane de chameaux maigres. Des nomades, visage tatoué et tête enfoncée dans de lourds turbans poussiéreux, le saluèrent.

Quelques membres de cette tribu bredouillaient le mongol que Chunyi avait appris avec ses compagnons de jeux. On l'invita à prendre du thé. Les femmes, voilées, glissaient comme des fantômes. On lui indiqua la direction des hautes steppes, on lui offrit une gourde remplie de lait et un gigot séché. Le tintement s'éloigna. La caravane, serpentant entre les ombres noires des rochers, devint une ligne, puis une tache qui, à l'horizon, se fondit dans le ciel.

Il avait entendu parler des mystérieux royaumes dispersés sur la Route de la Soie qui avaient péri dans les guerres et les tempêtes de sable. Un jour, alors que l'aurore s'élevait, une ville morte lui était apparue. Il distingua des ruelles enfouies, des portiques effondrés, des murs détruits, des pointes de lances enfoncées dans les dunes dont émergeaient des squelettes. Il s'en approcha. Mais soudain, comme un rideau qui se lève, l'image s'effaça, dans le vide qui séparait le ciel et la terre.

Après une oasis, les sables devinrent des cailloux grossiers, où perçaient, çà et là, des buissons. Des fleurs écarlates s'épanouissaient sur la terre aride. Des herbes en touffes, séchées par la chaleur, froissées par les sables, apparurent. Le sol se couvrait peu à peu de bandes de verdure. Puis, comme un rêve qui disparaît au réveil, le désert se déroba.

Il chevauchait.

Une tribu mongole l'accueillit. Puis, une deuxième,

une troisième. On lui offrait de l'alcool, du thé au lait, de la viande de mouton, du fromage sucré. Le soir, on allumait le feu, on chantait et dansait pour souhaiter la bienvenue à l'âme errante. On jouait du luth à tête de cheval et on récitait l'épopée des héros d'antan. Les voix rauques et les chants aigus faisaient tressaillir Chunyi. C'était le souvenir de son adolescence qui jaillissait.

Il avait soif d'entendre la voix humaine. Il flairait l'odeur de la cuisine et se soûlait comme un homme.

Une Mongole l'aima. Puis, il eut, loin des yourtes, dans les collines, des aventures. Les femmes le complimentaient. Elles disaient qu'il avait des éclairs dans les yeux et la foudre dans le ventre. Mais elles ne pouvaient calmer la tempête qui tournait sous sa peau, la force féroce qui bouillonnait dans ses veines.

La plupart du temps, il chevauchait sans rencontrer personne. Le soir tombé, il enfonçait dans la terre un poignard pour attacher son cheval par la bride. Il s'étendait sur l'herbe, emmitouflé dans son manteau. Il contemplait le ciel où les astres se déplaçaient avec lenteur.

Souvent, les yeux fixant les étoiles, il était aspiré par la profondeur de l'univers. Dans les cieux, il y avait je ne sais quoi de mystérieux qui lui faisait dresser les cheveux sur la tête. Il retenait son souffle. Le silence courait au ras du sol, renard agile. Il se relevait, haletant. Dans la nuit à jamais ténébreuse, comment pourrait-il se défendre contre les dieux invisibles ?

« Que sais-tu ? » le gronda un jour un chaman qu'il avait rencontré, et qui avait écouté son récit. C'était un vieux Chinois vivant parmi les Mongols.

Vêtu d'une tunique graisseuse, ses regards avaient conservé la douceur et la perspicacité d'un lettré. Respectant les règles nomades, malgré sa curiosité, Chunyi ne lui posa point de questions sur son passé. La conversation se déroula devant la yourte. Les deux hommes s'adressaient l'un à l'autre dans un pur accent mandarin.

« Notre monde ressemble à un miroir antique, dit l'inconnu. D'un côté, décoré de bas-relief, est la vie ; de l'autre, poli, est la mort. Quand les dieux nous tendent la face polie du miroir, nous sommes terrifiés. Parce que nous n'y voyons que notre propre reflet. La vie de l'âme est un long cycle d'incarnations. Aussi dans une existence, nous mourons plusieurs fois. As-tu déjà observé un serpent qui fait sa mue ? Pour grandir, il faut accepter que les dieux nous écorchent.

— Que dois-je faire ? » insista Chunyi qui n'arrivait pas à saisir le sens de cette explication.

Le vieux Chinois grommela des incantations. Devant un monticule de pierres, il brûla des poils de loup dont il déchiffra attentivement la cendre. Sa voix se modifia et ses rides, empourprées par les flammes, se contractèrent, comme frappées d'étonnement.

Il prononça ces paroles énigmatiques :

« La vie est éternelle et la séparation éphémère. Le destin est un fleuve puissant, laisse-toi emporter et tu embrasseras l'Océan. »

Il fixa le garçon de son regard paternel et sa voix devint murmure : « L'être aimé est une perle qui se trouve au fond des flots obscurs. Si jamais tu fais naufrage, sache que c'est pour cueillir ce joyau. »

Rien n'avait pu altérer la beauté de notre maison fortifiée. Le ciel était bleu, immense, et le soleil continuait à éclairer notre univers avec majesté. Les abeilles bourdonnaient ; les arbres se balançaient au gré du vent. Dans notre monde, le désespoir survient comme une tempête. La vie, lichen vulnérable, se couche sous la pluie et se redresse à l'appel du soleil.

Père était mort.

Il était entré dans la chambre de la première concubine. Sans mot dire, il lui avait donné un coup d'épée dans le ventre. Elle avait poussé un cri et était tombée du lit. Recroquevillée, une main sur la blessure, elle appelait au secours mais les domestiques, immobilisés par la peur, n'osaient s'approcher. Elle avait tourné son visage vers mon père qui détourna la tête, bouleversé à la vue du sang.

Il se souvint de leur première rencontre dans un salon de thé de la ville de Cheng Dou. Svelte, riante, elle chantait en jouant de la biba. Il se faisait un grand tapage dans la salle. Les conversations grossières se confondaient avec le cliquetis des assiettes et les cris des serveurs. Elle roucoulait, sa voix le soûlait, ses yeux ronds étaient noirs comme ceux d'une alouette.

À présent, cette grosse femme baignait dans son sang. Mon père sentait peser sur lui son regard. Le front couvert de sueur, les lèvres déformées par un rictus, il donna brusquement un second coup d'épée, pour achever les souvenirs. Puis, il essuya l'arme avec le bout de sa tunique, se dirigea vers la porte en chancelant. Mais cette fille de forains qui avait pratiqué les arts martiaux dès l'âge de quatre ans se releva, s'élança vers mon père, l'enlaça et enfonça dans son dos le poignard qu'elle cachait toujours sous son matelas.

Quand ma mère arriva en boitant sur ses pieds bandés, mon père et la première concubine râlaient. Ils moururent au même instant.

Après les funérailles, Mère tomba malade, ne parvenant pas à oublier les convulsions des deux corps ensanglantés. Leurs fantômes hantaient ses rêves. La première concubine avait repris son habit de forain. Elle traînait derrière elle mon père qui pleurnichait. Ils se disputaient, grinçaient des dents. Leur lamentation se mêlait aux cris de haine.

Dans sa colère, ma mère avait jeté le cadavre de la première concubine par-dessus le mur. Il avait été dévoré par les vautours. À présent, le cri plaintif d'un oiseau faisait souffrir ma mère. Elle se redressait sur sa couche et ordonnait d'abattre l'animal insolent.

Quand le drame survint, je fus la seule à penser à mon frère. J'envoyai les meilleurs cavaliers à sa recherche. Les jours d'attente étaient longs, pleins d'incertitude. Je m'étais souvenue de ses menaces. Enfant, il s'était promis de se venger de moi lorsque Père aurait disparu et qu'il serait devenu le maître.

Secrètement, je préparai ma fuite. Comme j'avais donné tout mon bien à Chunyi, je dus voler quelques bijoux à ma mère. Je me fis confectionner des habits de cavalier et j'appris à monter à cheval.

Un jour, j'ordonnai aux domestiques de m'ouvrir la grande porte d'entrée. On n'osa pas me le refuser. L'interdit était mort avec mon père, les convenances déliraient sur le lit de ma mère. L'absence prolongée de mon frère m'avait donné le commandement de la maison.

Les battants s'écartèrent avec fracas. La grandeur de ce monde inconnu m'étourdit. Je descendis de la montagne lentement. Agrippée à mes rênes, j'avais le vertige.

Je fus éblouie par les couleurs, les lumières et abasourdie par les bruits : le claquement sec du sabot, le ruissellement d'une cascade, le roulement des pierres, le bruissement d'une branche qui effleurait un rocher. Parfois, les parois abruptes de la montagne me renvoyaient l'écho de mon rire.

J'atteignis la steppe. Les herbes étaient si hautes qu'elles frôlaient mes pieds. Une odeur humide et animale m'assaillit. J'examinai les alentours et je compris que je venais du ciel et que, sur terre, le monde avait d'autres proportions. La vallée avait perdu sa sérénité. La terre était déformée par les montagnes dont les crêtes pointues déchiraient le ciel. Je ne voyais pas le lac, l'horizon était tordu. Les herbes, inquiétantes, ondulaient, découvrant parfois un troupeau qui disparaissait dans les houles vertes.

Je laissai le cheval m'emporter. Il avançait au trot. Ses pas réveillèrent des grues qui s'élancèrent dans le ciel. Brusquement, sans que je puisse réagir, il se mit à galoper et le monde chavira.

Je me retrouvai couchée sur le dos. À travers les fleurs violettes, j'apercevais la voûte céleste ou glissaient quelques nuages. La terre ne bougeait pas, ne parlait point et me communiquait sa chaleur.

Je pensai à Chunyi partant pour la chasse, il se jetait souvent à terre pour s'étendre sur le dos. Il contemplait le ciel, observait les coccinelles qui grimpaient sur les feuilles et admirait les papillons qui passaient. Il ne pensait à rien, mais absorbait la force de la terre.

Depuis ce jour, lorsque je sortais de la maison, je devenais Chunyi, regardant les oiseaux fuir, avec ses paumes je caressais la terre. Mon frère était parti mais son âme, présente encore dans la vallée, m'initiait au secret des steppes.

Un jour, j'arrêtai l'intendant général. Il était venu saluer ma mère qui, hélas, ne le reconnaissait plus.

« Portez-moi les comptes du mois dernier, demain je vous attends à la salle à manger », lui dis-je.

Étonné, il acquiesça sans mot dire.

Il était temps de prendre cette maison en main. Sans l'autorité du maître, les domestiques commençaient à désobéir, à voler, pendant que les deux concubines se disputaient et faisaient retentir leurs plaintes.

Le lendemain, je reçus le vieux Li dans la salle à manger à l'heure où ma mère en avait l'habitude. On m'avait préparé pinceaux, encre, papiers, abaque sur la table desservie. Li se présenta, humble, hésitant, mais ses yeux me scrutaient. Il avait pris l'initiative de m'apporter les comptes généraux. J'appris ainsi que cette vaste demeure vivait de sa forêt et de son élevage. Elle possédait des caravanes qui circulaient entre la Chine et les pays du Sud-Est, des plantations de thé, des parcelles de terre où l'on cultivait en alternance le blé et le riz, et deux boutiques de soie, provenant de la dot de ma mère.

Dans l'autre pile de comptes étaient notées avec minutie les dépenses. J'ignorais que nos journées consumaient de l'argent comme un feu de la paille. Un geste, un désir, le moindre grain de poudre correspondaient à une once de métal qui disparaissait.

Enfant, je venais prendre le riz du matin avec Mère et sa manière de travailler s'était imprimée dans ma mémoire. J'imitais son autorité. Mais j'étais plus déterminée. Dès ce jour on me craignit, se plaignant en secret de ma dureté.

J'étais impitoyable mais pas cruelle. La rage que j'avais héritée de mon père était tempérée par la douceur venue de ma mère. Je punis les domestiques qui avaient profité du désordre de la maison pour voler et donnai ordre de renvoyer les deux concubines. Je fis porter dans leurs chambres des lingots d'or.

Elles vinrent pleurer dans mon appartement. La troisième voulait soutirer encore de l'argent, la deuxième souhaitait rester. Elles me contèrent leur solitude et le malheur d'être mal nées. Elles disaient qu'elles ne connaissaient pas l'adresse de leurs parents, qu'elles n'avaient point de famille. Je ne répondis pas. Leurs lamentations ressemblaient à une houle qui cherchait à m'attirer dans le gouffre morbide où elles s'étaient plongées.

Je pensai à mon père, pour la première fois depuis sa mort. À travers les yeux rougis par les larmes de ses concubines, je l'aperçus en homme, non en père.

Il avait délaissé ma mère pour des femmes qui portaient en elles la violence et la frustration. Il les aimait et s'enivrait de leur faiblesse. Elles étaient son mensonge et sa liberté. Elles étaient son miroir, sa consolation.

Sans raison, comme il m'était arrivé plusieurs fois

depuis que j'étais maîtresse de cette maison, l'impatience s'empara de moi.

« Mon père vous a couvertes de bijoux, je vous ai donné l'argent qui vous permettra de voyager jusqu'au bout du monde et d'établir un petit commerce. Partez, mesdames, ne discutons plus. »

La troisième concubine se jeta sur moi, criant le nom de mon père, implorant la clémence de ma mère et maudissant la première concubine qui était morte. Je me levai et l'écartai d'un bras.

« Ne me touchez pas. Disparaissez ou je vous fais emmener de force. »

Elle cracha sur moi, roula par terre et se frappa la tête contre le sol.

J'éprouvai soudain de l'indifférence pour cette femme. Ce fut un soulagement. Enfant, je la craignais. Adolescente, j'étais fascinée par ses rires et ses œillades. À présent, elle n'était plus qu'elle-même, créature absurde de ce passé auquel j'avais tourné le dos.

Les steppes s'arrêtaient devant le versant ombragé d'une chaîne de montagnes. De l'autre côté se découvrirent les villages entourés de champs, les pagodes perdues dans la brume. Un sentier poussiéreux guida Chunyi jusqu'au premier hameau. Les chaumières basses s'adossaient à une muraille antique à laquelle les villageois avaient pris de la terre pour bâtir leurs murs. Les platanes agitaient leurs feuilles fanées par la chaleur d'été. Des vieillards en loques, accroupis à leur porte, somnolaient sous le soleil. Autour d'eux, des poules picoraient. À la sortie du hameau, des paysans, crâne rasé, une maigre natte dans le dos, sarclaient les champs. Ils levèrent les yeux pour regarder Chunyi avec méfiance.

Le deuxième village se couchait dans le lit asséché d'une crue du fleuve Jaune. Un essaim de gamins nus, brunis par le soleil, encercla Chunyi. En grondant, ils tentèrent de le désarçonner.

À son arrivée au troisième village, le soleil tombait sur l'horizon. Les travailleurs étaient rentrés des champs. Sous les nuages pourpres, les arbres méditaient sur l'éphémère et l'éternité. Un jeune couple offrit à Chunyi une chambre, refusant tout argent. Au petit matin, le jour s'annonça par des agitations discrètes. La brise soufflait sur les papiers de riz qui couvraient la croisée. Parmi les bruits à peine perceptibles, Chunyi distingua les bêlements des moutons, les caquètements des poules que l'on venait sortir de leur cage. Peu à peu, il entendit distinctement le grincement du seau qu'on descendait dans le puits, le bruissement de la paille qu'on déplaçait, des murmures, le crépitement du feu dans le fourneau. L'odeur de cuisine envahit la chambre tandis que l'aube blanchissait les fenêtres.

Le quatrième village était habité par des moines. Les fresques assombries par la fumée recouvraient les temples délabrés. Sous l'arcade des galeries obscures, les statues des bodhisattvas grimaçaient, jouaient farouchement de la flûte, de la biba et piétinaient les damnés. L'atmosphère était grasse. Au pied d'une statue de Bouddha revêtue de feuilles d'or, Chunyi prit des bâtons d'encens. Il se jeta à genoux sur un coussin de soie jaune, troué par la ferveur des adeptes. Il joignit les mains et ferma les yeux. Des murmures de prières, à l'écho assourdi, saignèrent le silence.

C'étaient des moines qui, à sa demande, chantaient un texte sacré. Il pria. Il lui fallut un long moment pour revoir la maison paternelle. Elle respirait, s'agitait et essayait de le rappeler à elle. Mais il ne l'écoutait plus. Il était le fruit déchu de cet arbre ancestral.

À la sortie du quinzième village, dans l'auberge où il mangeait une soupe de nouilles au mouton, il vit entrer des passeurs du fleuve Jaune. Leur pantalon noir et large était noué autour des hanches par une ceinture de coton bleu. Ils portaient un gilet blanc sur leur torse nu ; des veines saillantes rampaient sur leurs bras en un tatouage terrifiant. Ils ne se parlaient pas, buvant de l'alcool de riz et commandant, eux aussi, des soupes de nouilles au mouton qu'ils dévoraient goulûment. Au bord du fleuve, Chunyi comprit que les paroles étaient absorbées par l'immensité des eaux boueuses.

La barque quitta la berge et la terre offrit à celui qui prenait congé d'elle une vue interminable. La grève s'étirait et les roseaux frémissaient dans le vent. Au loin, les champs de maïs enlaçaient les champs de blé.

Les montagnes, à l'horizon, s'aplatissaient, et bientôt on ne vit que torrents, écumes et tourbillons. Le ciel avait une teinte incertaine où filaient les nuages et les oies sauvages. Le fleuve ressemblait au visage buriné d'un vieillard. Chunyi, qui s'embarquait pour la première fois, vomissait. Comme pour se moquer de lui, un ricanement rauque s'échappa de la gorge du passeur qui se mit à chanter.

Entré dans la plaine du Milieu par une porte de la Grande Muraille, Chunyi traversa des bourgades, des villes où il changea son habit, sa coiffure d'une dynastie disparue. Il corrigea sa prononciation qui étonnait et simplifia ses phrases aux tournures alambiquées.

L'automne grimpa les montagnes et fréquenta les monastères, puis redescendit dans la plaine, où les paysans commençaient à moissonner les blés. Enfin, il gagna Pékin, ville crénelée, portes ouvertes.

La circulation était si dense que Chunyi dut descendre de cheval. Il marcha vers le centre de la ville. Les Mandchous coiffés d'une natte se faisaient remarquer parmi les républicains aux cheveux coupés à l'épaule. Les boutiques de soierie, les pharmacies, les épiceries, les salons de thé, les maisons de plaisir se succédaient. Des bandes de vieilles femmes accroupies par terre vendaient des fruits, des légumes, agitant leur éventail de bambou pour chasser les mouches.

Les rues étaient enveloppées de poussière et de l'odeur aigre de la pauvreté. Les visages étaient jaunes, fermés et inertes, mais on y lisait une certaine insolence. Les hommes portaient des tuniques sales, des pantalons froissés, les femmes un petit gilet par-dessus leur veste. À un carrefour, une troupe de forains faisait des acrobaties et un singe mendiait.

Soudain, la rue s'élargit. Des engins noirs, énormes, effrayants, roulaient et sonnaient. Chunyi apercevait, par la vitre à demi baissée, le visage poudré d'une femme ou un homme arborant une petite moustache.

Sous les hauts murs, à l'ombre des cyprès, la vie paraissait plus paisible mais aussi plus morose. Quelques promeneurs balançaient des cages enfermant des oiseaux. Les tireurs de pousse-pousse accroupis le long du trottoir attendaient les clients. Ils bâillaient bavardaient ou cherchaient des puces dans leur veste en loques. Chunyi osa leur demander la direction de la Cité interdite. L'un d'entre eux le toisa de la tête aux pieds, puis, d'un geste languissant, pointa son doigt vers l'est. Dans un pur accent pékinois où l'on délie à peine la langue, où l'on traîne les consonnes, où la résonance nasale revêt les politesses d'une teinte subtile d'ironie, il lui dit : « Tout droit, monseigneur. »

Bientôt apparut une porte gigantesque soutenant une pagode. Une centaine d'hirondelles volaient autour de son toit vernissé en poussant des cris plaintifs. Des chameaux liés les uns aux autres se couchaient dans la poussière, et des mules, portant des bidons d'eau, mâchaient du foin. Assis contre le mur, un aveugle tirait son horoscope à un homme de la caravane. Un vieillard mendiait, et une petite fille, lui tenant la main, chantait de sa voix frêle.

Les portails s'ouvraient sur un tunnel peu profond, qui à son tour débouchait sur un vaste terrain. On y vendait des soupes chaudes bouillies sur de petits fourneaux, des brochettes de viandes, des antiquités, des vêtements en vrac, des bouquets de chrysanthèmes, en pots ou enfilés en bracelet. On criait, s'interpellait, marchandait, les accents du Nord et du Sud se mélangeaient, mais tous avaient adopté la courtoisie pékinoise. Au milieu de ce brouhaha, Chunyi vit une seconde porte, plus majestueuse que la première.

Défendue par une large douve, elle portait à son

sommet un pavillon imposant et, sur son fronton, un panneau où l'on lisait : « Porte de la Paix céleste ».

Chunyi franchit un pont de marbre blanc aux balustres sculptés. Il s'étonna que les portails, hérissés de clous de bronze, fussent ouverts. Il pénétra dans une cour immense. En face, se dressait la porte du Midi, gardée par des soldats en uniforme jaune. Des bruits secs se firent entendre. Une troupe de militaires sortaient. Ils s'engouffrèrent dans une des deux portes latérales.

Puis, le silence. Des hirondelles criardes tournoyaient. Le boniment d'un marchand de fruits passa par-dessus la muraille et arriva jusqu'à Chunyi.

La peinture des tours et des pavillons était écaillée, des gargouilles avaient disparu des toits aux bords relevés. Des herbes folles avaient poussé dans les fissures des pavés. Accablé de fatigue, Chunyi courba le dos, tenant son cheval par la bride, il s'en alla, lui aussi, par une porte latérale à la recherche d'une auberge. Demain, demain peut-être, il saurait ce qu'il allait devenir dans la cité de ses ancêtres.

Mère était morte, délivrée enfin de la démence qui l'avait habitée. J'avais pleuré, mais au fond de ma tristesse, je trouvais un certain bonheur. Mère était plus proche de moi. Elle était entrée dans mon intimité, dans ma respiration. Elle s'était élevée dans l'invisible.

Mais cette sensation s'effaça au fil du temps. Je commençai à douter, à souffrir de son abandon. Je me demandais si les fantômes existaient, si les esprits avaient du cœur, si les dieux veillaient sur les humains. De temps à autre, un sentiment de vide et d'infini s'emparait de moi. Je me changeais en hâte, descendais de la montagne d'une traite et galopais jusqu'au lac où les eaux limpides, immense miroir de mon âme, scintillaient. Et je me mettais à sangloter.

Mère m'apparut un soir, habillée de cette jupe violette que j'adorais enfant. Elle me parla longtemps du destin réservé à mon frère et à moi, de l'avenir de cette maison, de nos descendants.

À mon réveil, ses mots, que j'avais crus profondément gravés dans ma mémoire, me quittèrent comme un essaim d'oiseaux.

Mais les montagnes, les steppes et le lac étaient là, fidèles et immuables. J'avais appris à chasser et adopté le faucon de mon frère. Ma peau, à force d'être exposée au soleil, s'était hâlée, et mes mains, usées par la corde de l'arc, couvertes de callosités.

J'allais m'asseoir sur le faîte du mur, face à l'infini. Je fermais les yeux et me concentrais, cherchant la pensée de mon frère parmi les myriades de messages que le vent transportait. Des cris, des pleurs, des rires, des murmures amoureux, le bruissement des fleuves, des millions, des milliards d'âmes s'allumaient et s'éteignaient comme les étoiles dans l'océan de la vie. Mais mon frère s'était tu. Fondu dans la terre, il menait une nouvelle existence.

Je portais à ma ceinture de soie les clés des portes, des coffres-forts. Elles tintaient lorsque je me déplaçais. Je gérais les biens avec rigueur, pour soutenir l'image éclatante de cette famille, pour retarder sa déchéance. J'étais la dernière guerrière et défendais le sanctuaire de mes ancêtres disparus.

Autour de moi, le vent, la neige, le silence et le grondement des steppes.

Il était rare que les nouvelles de Pékin pénètrent dans les montagnes : des guerres se préparaient ; on protestait contre le gouvernement ; la police massacrait les étudiants ; puis, l'attente, l'incertitude.

Je me mariai avec un homme que j'avais choisi. Je fus enceinte. La vie germait en moi. Elle tourbillonnait ; puis, se calmait. Je portais dans ma chair un lac, une mer. J'étais devenue la voûte céleste.

Une nuit, le petit être se réveilla en sursaut. Il se tordit, s'arc-bouta. Le matin, j'accouchai d'un enfant mâle. On me le présenta. Ridé, ensanglanté, il pleura.

三

À six heures du matin, le vent chassa les nuages.

Dans la rue, la rumeur grondait. Les accordéons égrenaient leur rengaine dans le vacarme des tambours. Des chants s'élevaient, s'apaisaient, des applaudissements crépitaient. Une voix, amplifiée par un mégaphone, éclata : « La Révolution est la Raison suprême ! Bienvenue à ceux qui veulent faire la Révolution ! Foutez le camp, ceux qui n'en veulent pas ! »

1966, en cette année où les grands événements déferlèrent, j'avais seize ans. Un duvet noir avait poussé au-dessus de ma lèvre supérieure. J'avais, dans mon cœur, l'immense souffrance d'un adolescent qui souhaitait devenir un homme.

La mélancolie s'abattait sur moi, mêlée à des étourdissements. Le vide dans le cœur, la torpeur dans l'âme, j'allais me promener sur les ruines du palais de Printemps. L'avenir ne m'intéressait pas, je ne me souvenais pas de mon enfance, mon unique souci était de m'interroger douloureusement : « Qui suis-je ? »

En ce beau matin d'été, un miracle se produisit. Attiré par le bruit, je sortis de la maison à bicyclette. Au carrefour de Zhong Guancun, je rencontrai les étudiants de l'Université de Qinghua qui venaient de leur campus. Vêtus d'uniformes militaires verts, portant sur la poitrine l'effigie du président Mao Zedong et au bras droit un brassard pourpre, ils agitaient des drapeaux et brandissaient une large banderole de dix mètres, fabriquée avec deux rideaux que l'on avait arrachés à une salle de conférences. On y lisait « VIVE LE PRÉSIDENT MAO ».

Je laissai ma bicyclette sur le trottoir et me glissai dans la foule. Comme personne ne s'aperçut de mon intrusion, je sortis le Petit Livre rouge de ma poche et me mis à marcher.

Aiguillonné par la curiosité, J'avançais plus vite que les autres. Bientôt j'atteignis un nouveau groupe d'étudiants, composé d'enfants de paysans, d'ouvriers, de petits employés. Leur habit était moins clinquant. Ils portaient des pantalons bleus et froissés : depuis un an, l'ensemble vert militaire était devenu un objet de luxe, un symbole de privilège. Leurs brassards ne correspondaient pas au format officiel. Ils avaient été cousus à la main et teints en rouge avec ferveur. L'atmosphère était chaleureuse, ces gens-là diffusaient la joie. Une fille, presque une gamine, assise sur une charrette tirée par un tricycle, jouait un air d'accordéon avec une virtuosité vertigineuse. Autour d'elle dansait le portrait du Président. Un jeune géant, les cheveux coupés ras, marchait à la tête du groupe. Il portait une veste bleu passé et rapiécée aux coudes. Mégaphone devant la bouche, il récitait les vers du président Mao :

« Seul, debout dans le froid d'automne,
Au cœur de la Siang fuyant vers le Nord,
À la pointe de l'île de l'Orange,
Je vois, sur des milliers de montagnes vermeilles,
Les bois teintés de rouge étage par étage,
Sur les vastes eaux, verte transparence,
Cent bateaux filent en concurrence,
Les aigles battent les espaces infinis,
Les poissons volent aux faibles profondeurs,
Tous les êtres, sous le ciel de frimas, rivalisent de
    liberté.
Saisi de cette immensité,
Je demande qui donc, sur ces vagues étendues,
Gouverne ce qui surgit, ce qui s'enfonce. »

Au rythme de ces vers superbes, le soleil se levait derrière les arbres et versait sur nous son océan de lumière. Bousculé par les étudiants qui allaient coller aux murs et sur les poteaux la caricature des ennemis du Peuple, j'entrai dans la colonne de l'Université de Pékin, où la guerre grondait.

Deux troupes marchaient côte à côte, se lançant des anathèmes ironiques, se fusillant du regard. Soudain, dans un brouhaha, deux jeunes filles, portées sur les épaules de leurs camarades, se hissèrent au-dessus de la foule, face à face. Dirigés par elles, des hymnes de la Révolution tonnèrent. Dans un camp, on chanta à pleins poumons « L'Orient est rouge » et dans l'autre, on lança « Pour naviguer, nous avons besoin d'un Timonier ». Puis, le premier lança brusquement à l'unisson « Avançons ! Avançons ! Notre troupe marche vers le soleil », à quoi le second répondit par « l'Étoile rouge brille de tous ses feux »...

Je retrouvai la paix sous l'étendard de l'Université du Peuple. Deux étudiants me prirent le bras. Côte à côte, une centaine de jeunes gens firent bloc et nous chantâmes les poèmes du Président. Ma voix se noyait dans le chœur qui mugissait. Je ne m'entendais pas, mais les paroles faisaient vibrer ma tête et chauffaient mon ventre.

Voici l'idéal enchanté : nous voulons une Chine prospère, son peuple heureux, une classe ouvrière arborant un sourire satisfait, des enfants ressemblant à des bouquets de fleurs.

Le silence se fit soudain et un discours retentit. Un mégaphone diffusait distinctement une voix douce et cristalline :

« Camarades, nous vivons dans une époque de très grande pureté. Huit ans de guerre contre les Japonais et quatre ans de combat contre le Guo Min Tang avaient anéanti le pays et réduit notre civilisation à zéro. Notre génération, née avec la République populaire, ne connaît ni l'esclavage ni la terreur. Nous avons appris à distinguer le bien et le mal, le beau et le laid, le lâche et le héros, nous avons conscience que notre avenir sera un sacrifice pour la reconstruction du pays. Mais les expériences nous manquent et nous avons soif des épreuves comme l'acier qui désire rougir dans le haut-fourneau.

« Nous, les étudiants, nous sommes animés par le désir d'améliorer la société. Hier, nous voulions devenir physiciens, professeurs, bibliothécaires et offrir au pays notre savoir. Aujourd'hui, notre cher Président a dit : "Il faut douter de tout ; il faut tout abattre." "Douter de tout", c'est juger par soi-même, oser le mépris, faire confiance à son impulsion, à la jeunesse.

Dans la maxime "il faut tout abattre", le Grand Timonier nous révèle notre mission, et nous indique le chemin à suivre : faire la Révolution.

« Cela veut dire, se faire violence, éliminer chez soi le reste des principes établis, puis renverser une société ancienne avec tous ses éléments pourris.

« Le Président a encore dit "ceux qui représentent l'autorité se sont embourgeoisés et se reposent sur la docilité de la jeunesse". Rigides, conservateurs, nos professeurs, nos parents, certains de nos dirigeants sont devenus un obstacle à l'évolution de la société chinoise. Ils ont peur du progrès, peur de la Révolution culturelle qui va les écarter du pouvoir. Camarades, l'avenir appartient à la jeunesse. Unissons-nous sous le drapeau de la pensée maoïste, armons-nous de sa bénédiction, brisons les autorités, abattons les révisionnistes, les petits-bourgeois, les défenseurs de la féodalité !

« Vive le président Mao Zedong ! Vive la Révolution culturelle de la classe prolétaire ! Vive la solidarité du peuple chinois ! »

Le chant reprit. Saisi d'une émotion violente, je ne pus prononcer une seule parole. Jamais un discours ne m'avait autant frappé. Chacun de ces mots m'avait transpercé le cœur. Pour la première fois depuis un an, nombre de réflexions se bousculaient dans mon esprit.

Je n'avais jamais douté de mes parents, de mes professeurs. Ils étaient la vérité absolue. Ma vie s'était écoulée, tranquille, paisible. J'étais un bon élève qui respectait les siens, qui aimait la lecture, le jeu d'échecs, le football, qui rêvait d'entrer à l'université de Pékin, pour devenir un jour astrophysicien.

Dans ce vaste programme de vie, quelle part avait eue ma décision ; quelle était celle de mes parents ? On m'avait enseigné le respect, l'obéissance. Jamais je n'avais osé crier, chanter, exprimer mes opinions à voix forte, la tête haute. J'avais été un mannequin fabriqué à la chaîne, auquel on attribue une fonction, un destin. Ignorant le refus, je ne savais plus qui j'étais. Seule, la révolte me forgerait une identité.

Je cherchai dans la foule la jeune fille au mégaphone, lorsque des milliers de gardes rouges sortis de leurs campus universitaires nous rejoignirent. Quelqu'un me passa un drapeau rouge. Une étudiante me distribua une feuille imprimée des dernières directives du Comité central de la Révolution culturelle. Je la pliai en deux et la glissai dans la poche de ma veste, près de mon cœur.

Dans les rues et les avenues, nous formions un fleuve noir, et les Petits Livres rouges que nous agitions par-dessus notre tête ressemblaient à des myriades de gouttes d'écume où le soleil se multipliait. Descendus du boulevard Zhong Guancun, nous traversâmes le pont des Rocs blancs, passâmes devant la porte de la Construction nationale et nous engageâmes dans l'avenue de la Longue Paix.

Pendant que nous manifestions notre fidélité au Président, une centaine de milliers de Pékinois, avides des événements, s'étaient rassemblés sur le trottoir pour nous applaudir. L'armée intervint sans tendresse et les écarta en formant deux murailles parallèles.

Après deux heures de marche, nous commencions à être fatigués. Par-dessus les épaules des soldats, on nous passait des verres d'eau, et nous remerciions nos donateurs par des chants révolutionnaires. On nous lançait des bravos auxquels nous répondions par des slogans clamés à l'unisson. Nous vécûmes un intense moment d'amour et de solidarité.

Près de la place Tian An Men, l'avenue était fermée au public. Les soldats nous obligèrent à nous arrêter et nous répartirent en carrés. Nous eûmes du mal à nous regrouper. Le soleil dardait sur nous ses rayons de braise. Dégoulinant de sueur, nous nous bousculions et transpirions encore davantage. Les différentes écoles idéologiques de gardes rouges profitèrent de cette occasion pour s'insulter. Soudain, comme la bourrasque qui s'élève au milieu de l'océan, l'enthousiasme nous emporta dans un délire collectif. Nos chants reprirent de plus belle. « Vive la pensée de Mao Zedong ! », « Vive le Parti communiste ! », nous récitâmes à nouveau le poème de notre Président que chacun connaissait par cœur :

« Que de tâches en attente
Et des plus urgentes.
Le temps presse,
C'est trop long, dix mille ans ;
Il faut se saisir du jour, de l'instant.
Les quatre mers bouillonnent dans la fureur des
    nues et des ondes ;
Les cinq continents se soulèvent en tempête qui
    fulmine.
Pour purger la terre de la vermine,
Notre force est irrésistible... »

Lentement, la foule s'ébranla. Les camarades, qui me dépassaient d'une demi-tête, m'entraînèrent dans une marche précipitée. Contre le vent, le drapeau que je portais me fouettait le visage et, par intervalles, je voyais une infinité de joues empourprées, une forêt de bras qui pointaient vers le ciel, de portraits du Président agités au-dessus des têtes. La foule se déplaçait dans un tumulte chaotique. Je criai à l'oreille d'un étudiant, lui demandant ce qui se passait. Il fit un geste pour me dire qu'il ne m'entendait pas.

La foule s'arrêta. Ce fut la bousculade. Soudain, ceux qui me devançaient se mirent à courir.

« Où allez-vous ? m'écriai-je. Mais, attendez-moi ! »

Même les traînards me dépassèrent. Exaspéré, je les suivis, empêtré dans le drapeau qui pesait lourd sur mon épaule. Des cris hystériques s'élevèrent. Autour de moi, les gardes rouges arrachèrent leurs casquettes et les lancèrent vers le ciel. Des larmes jaillissaient de leurs yeux. Une jeune fille trébucha et tomba par terre. J'allai la secourir. Elle se releva. Son nez saignait, mais, ignorant sa blessure, elle ramassa par terre son Petit Livre rouge et reprit sa course en hurlant.

Ce fut alors que j'entendis, amplifiée par des centaines de haut-parleurs, une voix tremblotante, avec un lourd accent du Sud, qui disait : « Bonjour, mes petits soldats rouges ! »

En même temps que cette voix venue du ciel, la porte de la Paix céleste était apparue comme un songe, à l'horizon d'un océan d'uniformes verts. Une gigantesque toiture aux tuiles vernissées, soulevée par des colonnes cramoisies, abritait une terrasse où claquaient des milliers de drapeaux. Mon cœur se mit à battre la chamade. Le président Mao devait s'y tenir pour recevoir les fidèles ! Je cherchai des yeux Sa silhouette, mais la foule en délire ressemblait à un paquebot qui chavire. Tout m'aveuglait : les drapeaux qui flottaient, les portraits qui scintillaient, les pigeons que l'on lançait dans le ciel, les ballons colorés qui s'envolaient.

« Vive le président Mao, vive le président Mao ! », je criais ma prière jusqu'à l'étouffement. Dans les haut-parleurs, la voix du Président reprit, comme pour me répondre : « Petits soldats gardes rouges, salut ! »

Des larmes de désespoir mouillèrent mes joues. Arrivé à la fin de la piste du défilé, je ne l'avais pas encore aperçu. Je me retournai une dernière fois.

Par une sorte de providence, quelques étudiants se déplacèrent. Entre deux drapeaux rouges, je vis, sur le haut de la porte de la Paix céleste, une tache blanche qui se tenait à la tête des dirigeants vêtus de couleur foncée Le bras levé, le Président saluait la masse frémissante.

Les drapeaux se refermèrent. Je fus aussitôt happé par la foule.

Au lycée, les cours avaient cessé au début de septembre : on venait à l'école étudier les nouvelles directives ou débattre la voie du socialisme. Un premier comité révolutionnaire était né à mon insu. À sa quatrième réunion, il m'appela.

Le meeting eut lieu dans un coin du gymnase. Je reconnus parmi ses membres quelques camarades de terminale. Les autres venaient probablement des classes inférieures. Aucun d'eux ne faisait partie de la délégation des élèves où j'occupais le poste de directeur de la propagande et de chef de la station de radio scolaire.

Me voyant arriver, certains me firent un signe de tête, d'autres, plus farouches, ne bougèrent pas. Je m'assis à l'écart, en observateur.

Deux gardes rouges de l'université du Peuple étaient venus pour nous parler de « l'avertissement du 16 mai », dans lequel le Comité politique central évoquait l'existence de révisionnistes au sein du Parti. Ils guettaient l'occasion de s'emparer du pouvoir et transformer la dictature du prolétariat en tyrannie capitaliste. « L'avertissement » disait que l'opposition à ces contre-révolutionnaires déterminait l'avenir du Parti et le destin chinois. Il exigeait que tout le Parti se rassemblât sous le grand drapeau de la Révolution culturelle, condamnât les prétendues sommités de la science, de l'éducation, de l'information, de l'édition.

L'étudiante se mit à parler. Elle nous invita à réorganiser notre Comité révolutionnaire d'une manière plus efficace, à établir des projets concrets, pour répondre à l'appel de « l'avertissement ».

J'étais déçu par sa voix, monotone et sans grâce. Je ne pourrais donc jamais rencontrer l'inconnue qui avait cette voix si douce et si limpide.

Du vent s'infiltra par les fenêtres et courut le long du gymnase. Le bruit d'une chute interrompit la discussion. Le silence s'abattit sur nous, angoissant, excitant.

Enfants, nous avions tous joué à la guerre. Nous puisions dans les films et dans les bandes dessinées les héros qui nous servaient d'exemple. Les garçons maniaient une baïonnette en bois et dissimulaient leur crâne sous une couronne de saule pleureur. Les filles, un foulard sur la tête, jouaient les infirmières. Pour nous entraîner, nous courions dans les bois, nous nous jetions dans les fossés, nous grimpions sur les toits. Parfois, il fallait se préparer à affronter les tortures. Nous fabriquions des instruments d'horreur, jouions au bourreau et au martyr à tour de rôle. Une fois par semaine, les haut-parleurs accrochés dans les arbres diffusaient la sirène d'alarme et une voix aiguë nous appelait à nous réfugier dans les caves. Pour les adultes, c'était simulation et exercice, pour les enfants, une vraie contre-attaque du Guo Min Tang. Serrés dans la grotte obscure et humide, nous tremblions d'excitation. Là-haut... l'ennemi est partout. Il nous cherche, nous envoie des bombes. Nous rentrons dans la résistance.

En dehors du gymnase, un vacarme éclata. Après une série de sonneries, on entendit des bruits de pas, des voix confuses, des rires, le roulement des bicyclettes. Il faisait encore jour, mais la lumière était estompée par les barreaux, derrière les fenêtres noires de fumée et de poussière. Le gymnase, dans son immensité étroite, ressemblait à un terrier.

Elle est donc arrivée, la guerre !

Une voix interrompit le silence : « Jurons ! Je jure que je défendrai le Parti communiste chinois et le Grand Leader de la Révolution, le Président Mao, jusqu'à la mort. »

Emporté par cette ambiance dramatique, je jurai avec tout le monde :

« Je jure que je défendrai le Parti communiste et le Grand Leader de la Révolution, le président Mao Zedong, jusqu'à la mort. »

Après le serment, l'atmosphère se détendit et on programma les futures opérations.

« Veux-tu nous donner ton appui ? » On s'adressait brusquement à moi. Je m'y attendais. Après un moment de silence calculé, j'inclinai la tête. Un garçon, le chef du groupe, proclama : « Nous te nommons vice-commandant du Comité révolutionnaire. »

Après de brefs applaudissements, il étala un rouleau de papier par terre :

« Voici le premier dazibao de notre lycée. Il sera affiché demain matin au tableau central de l'école. Camarade Wen, ta mission sera de l'éditer dans le journal dont tu es rédacteur en chef, et de le diffuser demain aux premières heures à la radio du lycée, après la récitation des maximes maoïstes. »

Mes yeux parcoururent le dazibao écrit à l'encre rouge et en gros caractères. Il dénonçait Cai Yung, notre directeur, devenu le numéro un des révisionnistes. L'homme, proche de la cinquantaine, ancien soldat de l'armée rouge, avait été pour moi un mystère. Je le rencontrais lors des réunions où les dirigeants du lycée recevaient les délégués des élèves. Les yeux mi-clos, fumant des cigarettes qu'il prenait plaisir à rouler entre ses doigts jaunes, il nous laissait parler et répondait à nos réclamations par un hochement de tête. Avec ses silences, nos projets de réforme n'aboutissaient pas et étaient souvent abandonnés en cours de route. Depuis le jour où je m'aperçus qu'il faisait des fautes d'orthographe, je le soupçonnai d'avoir obtenu son poste en récompense de sa participation à la Longue Marche, son air énigmatique dissimulant sa nullité et son incompétence.

Le lendemain matin, à la radio, nous lançâmes une

énorme « bombe » sur le quartier général, détaillant les crimes de celui qui dirigeait notre lycée depuis quinze ans. Le texte terminé, je me pris pour un héros de l'Antiquité ayant ébranlé la montagne.

Les gardes rouges désignés par notre comité défoncèrent la porte du bureau du directeur. Ils l'arrêtèrent, renversèrent les meubles, éparpillèrent les dossiers et enfermèrent le révisionniste dans le gymnase.

L'interrogatoire dura longtemps. L'ennemi refusa de reconnaître le crime d'avoir corrompu les jeunes esprits et freiné leur élan révolutionnaire. Pour se justifier, il répétait sans cesse qu'il était un soldat de la pensée maoïste au service du peuple. Ces psalmodies nous énervèrent. De bons coups de pied le firent taire.

Le lendemain, une trentaine de dazibaos fleurissaient sur les façades des bâtiments d'étude. Ils dénonçaient d'autres contre-révolutionnaires : la professeur de politique qui nous agaçait depuis longtemps par ses intrigues qui dressaient les enseignants contre les élèves ; la secrétaire du directeur soupçonnée d'avoir une relation adultère avec son patron.

· Il fallait de nouvelles arrestations. Il fallait procéder à un nouveau recrutement.

J'avais remué ciel et terre pour me procurer un ensemble militaire, et troqué une édition de luxe du Petit Livre rouge contre un vieux ceinturon des années cinquante, quand l'Armée volontaire du Peuple marchait vers la Corée. Je portais au bras le brassard sur lequel était brodé en caractères jaunes « garde rouge » et sur la poitrine un beau badge où l'on distinguait l'effigie du président Mao sur un fond vermillon.

La première grande réunion de condamnation eut lieu sur le terrain de sport où l'on avait dressé un plateau devant la tribune. La décoration, élaborée par moi, avait épuisé tous les tissus rouges de notre lycée. Au fond de la scène, sur un rideau pourpre, était accroché le portrait de notre cher Président. Le révisionniste et ses partisans seraient jugés et critiqués sous Son regard.

Selon la dernière mode, ils étaient coiffés d'un bonnet pointu de deux mètres, fait de papier, sur lequel étaient inscrits leurs crimes à l'encre noire. Ils portaient au cou une pancarte de trois kilos où frémissait leur nom sous une croix noire. Seule, la secrétaire de l'ancien directeur avait, en guise de collier, une paire de baskets trouées, signe de sa débauche. On leur maintenait la tête baissée, et les élèves, l'un après l'autre, montaient sur scène énumérer leurs forfaits, dénoncer leurs sabotages et leur cracher sur la tête. À la fin de chaque discours, on criait à haute voix « Vive le président Mao Zedong ! », « Vive la Révolution culturelle ! ». La réunion se termina dans le déferlement des chansons révolutionnaires et les serments solennels de fidélité au Président.

Un matin, des dazibaos qui nous désignaient comme traîtres à la vraie Révolution culturelle avaient recouvert les murs du lycée. Le lendemain, nous collâmes nos ripostes sur ces affiches calomnieuses.

Le 1er octobre, le comité adverse, le Rocher pourpre, envahit le gymnase dont il fit son quartier général en séquestrant nos prisonniers et deux de nos camarades. Le soir, ils y organisèrent leur séance de condamnation. Nos partisans furent humiliés, tourmentés à côté des professeurs contre-révolutionnaires.

Le 2 octobre, le Rocher pourpre attaqua la station de radio. Du haut de l'escalier, je reconnus les anciens membres de la délégation parmi les élèves qui brandissaient le bâton, la raquette de badminton et le ceinturon. Nous nous défendîmes avec ce qui nous tomba sous la main. Un assaillant se fraya un chemin dans la foule, monta l'escalier. À coups de ceinturon, il fit tomber nos deux gardes rouges qui s'étaient jetés sur lui pour le désarmer. Il gagna l'entrée de la salle d'enregistrement et se trouva en face de moi. Nous nous dévisageâmes.

C'était le délégué du Sport, le capitaine de l'équipe de natation dont je faisais partie. La nage étant la plus élégante de toutes les compétitions, l'amitié entre les nageurs de notre équipe était pure et transparente comme l'eau bleue où nous glissions.

Je voulus le persuader de passer dans mon camp. Mais, comme pris de démence, il me donna sur la tête un coup de ceinturon. Les oreilles bourdonnant, je trébuchai. Fou furieux, il me frappa encore. Revenu d'un premier étourdissement, je compris qu'il allait me tuer si je ne me défendais pas. Je ramassai par terre une grosse bouteille de bière, la cassai et la lui enfonçai dans le ventre. Le garçon, tétanisé, me regarda de ses yeux injectés de sang. Horrifié, je tournai la bouteille de toute ma force. Un liquide chaud filait entre mes doigts, coulait sur ma main et ruisselait le long de mon avant-bras. Je lâchai la bouteille et le géant chancela. Je le pris par le col et, avec une force insoupçonnée, je le traînai jusqu'en haut de l'escalier. Exhibant mon trophée ensanglanté, je poussai un cri de victoire. Tous les regards se tournèrent vers moi.

Un rire nerveux s'échappa de ma gorge et je donnai un coup de pied dans le derrière du délégué du Sport. Il dévala les marches et s'affala.

Nous profitâmes du désarroi des ennemis pour les refouler dans le gymnase que nous encerclâmes.

Le renfort arriva le soir même : le commandant du Comité révolutionnaire d'un lycée voisin, mon ami intime depuis l'école maternelle, avait envoyé ses gardes rouges les plus farouches. Nous défonçâmes la porte. Après trois heures de combat corps à corps, les membres du Rocher pourpre furent capturés.

Dédaignant de les torturer, nous les libérâmes dans un geste de clémence. Nous gardâmes ceux qui voulaient bien nous suivre et l'entrée du lycée fut désormais interdite aux réfractaires.

Le 5 octobre, nous reconstituâmes le Comité révolutionnaire du lycée et, à l'unanimité, j'en fus élu commandant.

Le 6 octobre, en fin d'après-midi, je défis le bandage de ma tête et cachai la cicatrice sous une casquette militaire. Je quittai ma veste où l'on voyait encore de vagues taches de sang malgré le lavage et empruntai une chemise. Je refusai d'un geste ferme les gardes du corps. Un couteau dans la poche, je rentrai à la maison à bicyclette.

Laissant le tumulte derrière moi, je m'étonnai que le monde, en dehors du mur de notre lycée, n'eût pas changé. Le calme et la somnolence régnaient sur la ville.

Deux mules fatiguées traînaient lentement une charrette. Un souffle de vent faisait bruire les peupliers qui bordaient la route goudronnée. L'été était encore là, avec sa chaleur molle.

Tout en pédalant, j'observais ma ville avec l'avidité d'un rescapé de l'Enfer. Mais, peu à peu, le plaisir de constater que le soleil brillait et que le ciel était toujours bleu se dissipa. Une étrange pensée s'empara de moi et m'effraya : et si tout ce que j'avais fait depuis septembre était vain ? Avais-je combattu dans un songe et pour un songe ? Puisque le monde, indifférent, poursuivait son cours.

La lumière du soleil couchant balayait mon immeuble, faisant scintiller la fine couche des miettes de charbon entassées depuis des années devant la porte principale. Ma famille nichait au deuxième étage, au bout d'un long couloir sans fenêtre, éclairé par une rangée d'ampoules jaunies. Notre immeuble était habité par des professeurs, des médecins, des ingénieurs, attendant la distribution d'un logement par l'État. Comme la plupart de leurs voisins, mes parents, depuis leur sortie de la faculté, étaient inscrits sur la liste d'attente. Tous les deux mois, ma mère se présentait au bureau du commissaire politique de l'hôpital de Pékin où elle et mon père étaient chirurgiens. On lui répondait qu'une cité était achevée, mais qu'il fallait d'abord loger les cadres supérieurs. Une autre fois, on lui expliquait que l'on devait le respect et la préséance aux membres des familles victimes de la guerre. Une autre fois encore, ils avaient cédé leur logement à un couple retraité car, en bons communistes, mes parents sauraient sacrifier leur bonheur. Au bout de dix-huit ans, vivant toujours avec l'espoir de déménager demain, nous nous contentions de deux chambres minuscules, sans cuisine ni salle de bains. Nous partagions les toilettes avec les voisins d'étage.

Dans le couloir, s'accumulaient, pêle-mêle, des boulets de charbon, des roues de bicyclette, des cuvettes, des poussettes. Contre le mur lézardé étaient suspendus des bottes d'oignons, de piments, des sachets de lessive, des ustensiles de cuisine.

Quelqu'un avait allumé le feu et s'affairait autour de son fourneau. C'était la voisine qui préparait le dîner pour son mari, collègue de mes parents, qui allait assurer la garde de nuit à l'hôpital. Des légumes, jetés dans la poêle, frétillèrent dans l'huile chaude. Je profitai du vacarme pour filer derrière le dos de la jeune femme, mais elle m'arrêta.

« Wen, te voilà, s'écria-t-elle, tu n'es pas rentré depuis des jours. Pourquoi ? »

Dans cet immeuble étroit comme une fourmilière, personne n'avait de secret pour personne. Agacé, je me forçai pourtant à sourire. J'avais intérêt à ne pas fâcher l'épouse du camarade de mes parents.

« Malade... » Je bredouillai quelques mots confus et inintelligibles.

Comme elle était affairée à agiter la poêle, elle n'avait pas regardé mon visage et crut à mon mensonge.

« Malade ? Pauvre garçon ! Où as-tu couché alors ? Comment ? À l'école ? Il fallait nous faire signe. On serait allé te chercher avec l'ambulance. Que tu es pâle. Va vite te coucher. Je passerai te voir tout à l'heure. »

Je m'enfuis à pas précipités.

J'ouvris la porte et allais me jeter sur le lit, lorsque j'aperçus mon père.

J'entretenais avec Père une relation particulière. Il m'avait élevé avec une tendresse sévère. Mais il me traitait en égal, prenait le temps de m'écouter.

Il était un exemple de droiture. Avant la Libération, étudiant à la vieille faculté de médecine de Pékin, il avait prêté serment au Parti communiste et travaillé dans les services secrets. À la naissance de la nouvelle Chine, l'État l'envoya à Moscou où il se perfectionna au contact des plus grands médecins soviétiques. Un hôpital moscovite lui fit une offre alléchante. Mais il la refusa et retourna à Pékin.

Mon père était un chirurgien renommé, un homme passionné par son métier, rigoureux envers lui-même et généreux envers autrui. Cependant, sans raison, je souffrais depuis une année des défauts de mon idole. Je le trouvais trop bon, trop rigide. Sa compassion frôlait la naïveté et m'agaçait. Je souhaitais l'entendre se plaindre. En vain. Il se contentait du peu qu'on lui offrait, et exécutait scrupuleusement ses épuisantes tâches.

Mon père ne connaissait pas le sens du verbe s'amuser. Pendant dix-sept années, il ne m'avait jamais fabriqué un cerf-volant, et, une seule fois, il m'avait emmené au zoo. Lorsqu'il m'invitait à le suivre dans ses promenades nocturnes, il se mettait à me parler, non pour plaisanter, mais pour faire de moi un homme de justice et de vertu.

Il me demanda de m'asseoir sur le lit, face à lui. Il me parla du concours général d'entrée aux Universités, qui devait se dérouler en juin prochain. Il me demanda ce que je comptais faire.

Il me dit : « Même en faisant la Révolution culturelle, il ne faut pas oublier les études. À ton avis, qui seront les constructeurs de la Chine socialiste dans dix ans, dans vingt ans quand la génération de tes parents aura vieilli ? La jeunesse d'aujourd'hui sera le pilier de demain. N'oublie pas ta responsabilité, l'avenir du pays repose sur tes épaules. Sans des connaissances solides, tu ne pourras pas apporter ta pierre à la modernisation de la Chine. »

Je baissai la tête. Au fond de moi, j'étais d'accord avec lui. Mais la sagesse paternelle m'énervait précisément parce qu'elle avait toujours raison et que je voulais résister à son pouvoir de persuasion.

Alors je m'écriai : « Mais, papa, vous avez oublié la lutte des classes ! et la menace qui pèse sur le régime socialiste ! Si on n'élimine pas les contre-révolutionnaires, le pays ne sera jamais en paix, et on ne pourra rien construire. Comprenez l'urgence de la situation ! »

Mon père me regarda, étonné.

« La lutte des classes, bien sûr il ne faut pas l'oublier. Mais, toi, tu es trop jeune pour savoir distinguer les amis et les ennemis. Tu ne comprends rien aux enjeux politiques. Consacre-toi plutôt à tes études. »

Indigné, je ripostai : « Votre pessimisme est dangereux ! Notre Président a écrit aux gardes rouges du lycée annexé à l'université de Qinghua, pour les encourager dans leur combat contre l'impureté. Aujourd'hui, les cours sont suspendus. Tout le monde participe à la Révolution culturelle. Les connaissances sont importantes mais seule compte la Révolution. »

Soudain une voix m'interrompit : « Tu prétends changer le monde, mais tu te bagarres avec tes camarades de classe ! Est-ce cela, la Révolution culturelle ? »

Ma mère sortit de la pièce voisine, tremblante de colère.

Me sentant piégé par mes parents, je gardai le silence.

Elle continua : « Pourquoi portes-tu la chemise de quelqu'un d'autre ? Où sont tes vêtements ? Qu'as-tu sur la tête ? Tu es blessé ?

— Rien, rien, Maman. » je me recroquevillai sur le lit, et me couvris la tête de la main.

Fille d'un médecin célèbre, ma mère avait choisi le communisme par dégoût de la Chine mi-féodale, mi-colonialiste du début du siècle. Comme la plupart des femmes de bonne famille libérées par les études universitaires, elle était exaltée.

Elle me tendit les bras. Mais je ne bougeai pas. Blessée, elle en eut les larmes aux yeux.

Depuis un an, j'étais exaspéré par ma mère qui relisait sans cesse les mêmes romans russes et pleurait sur le sort de ses héros préférés. Ses larmes me dérangeaient.

Au lieu de me précipiter vers elle et d'implorer son pardon, comme le souhaitait mon âme, je me raidis. Énervé, je frappai du poing sur le lit. Je me relevai brusquement et me dirigeai vers la porte.

« Où vas-tu ? intervint Père.

— Je m'en vais !

— Reste ici. Cesse tes bêtises, je t'en supplie ! »

Je tournai la tête. Mon père s'était levé de sa chaise ; près de lui se tenait ma mère. Le jour avait disparu et la nuit les avait enveloppés dans son épais manteau. Pétrifiés dans leur détresse, ils ressemblaient à deux rochers noirs.

Aller vers eux, c'était abandonner la Révolution ; se détourner d'eux, c'était anéantir les êtres que j'aimais le plus au monde. J'éprouvai une violente haine contre moi-même, contre mes parents qui m'avaient fait naître, contre le destin qui brisait notre union.

Je tournai le verrou, tirai la porte et me jetai dehors. Je traversai à grandes enjambées le couloir où les voisins faisaient la cuisine. La fumée, les odeurs vives, les bribes de paroles fouettaient mon visage. Je trébuchai sur quelque chose et, sans avoir vu ce que j'avais renversé, je me mis à courir. Quatre à quatre, je descendis l'escalier et poussai les deux battants du portail.

La nuit, les arbres, la liberté.

Je détachais ma bicyclette lorsqu'une fenêtre s'ouvrit au deuxième étage. J'entendis la voix anxieuse de ma mère qui m'appelait. Cette fois, sans me retourner, j'essuyai les larmes qui coulaient sur mes joues, montai sur la bicyclette et me lançai dans la rue sombre.

Pendant des mois, je ne rentrai plus à la maison. Mes parents venaient me voir au lycée. Ils étaient chaque fois arrêtés par les gardes. Ma mère m'apportait dans un panier des vêtements propres, des œufs durs, du papier à lettres. Elle voulait recevoir des lettres de moi. Mais comment lui raconter ma nouvelle vie ?

J'allais de lycée en lycée pour attiser le feu de la Révolution ; j'échangeais des idées avec les étudiants. Je participais aux manifestations, aux débats organisés par le Comité central de la Révolution culturelle ; j'étais reçu par l'épouse du Président au pavillon du Pêcheur. Femme énergique et fanatique, elle nous encourageait et nous transmettait les salutations du Timonier. Je me battais contre ceux qui cherchaient à bafouer la grandeur de notre idéologie. Comment pouvais-je faire comprendre à ma mère la nécessité et la gloire de cette violence ?

Avec quelques camarades de classe, missionnaires de la pensée maoïste, nous sillonnâmes la Chine en train à la recherche de grandes aventures. Des amitiés magiques se nouaient entre les gardes rouges. C'était la flamme qui jaillissait de notre sensibilité aiguisée par les événements, la chaleur qui réconfortait le cœur des soldats errants.

Au printemps, mes parents entrèrent à l'école du 7 mai en vue d'une rééducation. La saison fut froide et sinistre. L'aquilon de Sibérie traversant les steppes de Mongolie soufflait sur ma ville et l'ensevelissait sous les sables raflés au désert. J'avais fait toutes les écoles du 7 mai aux environs de Pékin avant de retrouver mes parents. De l'autre côté des barbelés, ma mère creusait la terre avec une pioche. Ses cheveux étaient coupés court et ébouriffés. Sa veste ouatée paraissait trop mince pour ce printemps glacial. Elle labourait avec l'application d'une petite fille. Elle se releva pour essuyer la sueur de son front. Elle m'aperçut enfin et tendit ses bras vers moi. Mais je lui tournai le dos et partis en courant.

Soudain, l'été. De jour en jour, la ville se remplissait de cris de cigales, de chaleur, de lumière. Les clans révolutionnaires se livraient une guerre sanguinaire. L'armée intervint et prit le contrôle de la situation. Sur l'ordre du Premier ministre, les écoles rouvrirent leurs portes, les cours furent rétablis. Excepté les professeurs qui purgeaient leur peine dans les camps, tout le monde avait repris le travail. Je passai les examens, réussis mon concours et entrai à l'université de Pékin. À la faculté, on n'étudiait guère. Je me promenais, me faisais des amis, participais aux débats. Le centre de la Révolution s'était déplacé Pékin, vidé de son énergie, de son imagination, s'étiolait.

Je décidai de rejoindre les millions d'étudiants qui partaient vers les régions reculées défricher la terre. Je m'inscrivis au Bureau de la répartition des gardes rouges dans la campagne chinoise, fis annuler à la préfecture ma carte de résident à Pékin.

La nouvelle affligea mes parents qui ne me comprenaient pas et ne me comprendraient jamais. Mais l'école du 7 mai les avait dépouillés de leur autorité. Sans mot dire, ils me laissèrent partir.

Le 1er décembre, une réunion de dix mille personnes eut lieu au stade de Pékin. Au milieu de la pelouse, mille étudiants faisaient leurs adieux à leur ville natale. On nous applaudissait ; des petites filles, poudrées, portant des rubans rouges sur leurs nattes, se lancèrent sur nous comme de joyeuses colombes. Elles nouèrent des fleurs pourpres à nos boutonnières.

L'après-midi, nous arrivâmes à la gare. Le train était bondé et il était impossible d'entrer dans le wagon, où les gardes rouges s'étaient entassés comme du bétail. Je grimpai sur l'épaule d'un camarade et passai par la fenêtre. Les bancs étaient occupés par des jeunes filles. Mon apparition les amusa. Elles me proposèrent de m'aider. Je fis monter mes compagnons en les tirant par le bras, et les jeunes filles les faisaient passer par-dessus leur tête. Puis, elles empilèrent leurs valises et deux d'entre nous purent s'installer sur le porte-bagages.

Le train s'ébranla.

Je me tenais debout entre un mur humain et le dos d'un camarade. Par-dessus son épaule, entre les réverbères qui défilaient, je voyais se déployer un paysage d'hiver. Les chants révolutionnaires et la récitation des poèmes du Président nous épuisèrent. Bercé par le roulis du convoi, je m'endormis d'un sommeil léger, rempli d'images confuses et de dialogues inintelligibles.

Soudain, j'entendis une voix qui disait : « Pardon. »

J'ouvris un œil et découvris une fille au visage pâle, tassée dans une encoignure. Depuis notre arrivée, elle était la seule qui ne parlait pas, ne riait pas.

« Pardon », dit-elle en essayant de se lever. Mais serrés les uns contre les autres, nous nous tenions comme la Grande Muraille : impossible de trouver un espace pour la laisser passer !

Mes préjugés contre les filles, absurdes et capricieuses, se réveillèrent. Pour toute réponse à son appel, je fermai l'œil.

« Pardon », insista-t-elle.

Personne ne bougea.

« Pardon », dit-elle en haussant sa voix tremblante, comme si elle allait pleurer. « Excusez-moi, je voudrais aller aux toilettes. »

Je reconnus à sa voix douce et cristalline la jeune fille qui avait fait le long discours, le jour de la manifestation. Je rouvris les yeux.

Un sillon de larmes scintillait sur sa joue. Je réveillai le camarade pelotonné et le poussai d'un geste. Je tendis la main à la jeune fille et l'arrachai à son siège.

Pour aller aux toilettes qui se trouvaient au bout du wagon, nous mîmes presque une heure. Champion de natation lors de la compétition régionale, je nageais dans la foule, traînant la jeune fille comme une bouée. Lorsqu'elle sortit de la cabine, face à cette cohue noire et grouillante, le courage de regagner nos places nous manqua. Adossés contre la porte des toilettes, debout, nous nous endormîmes.

Nous arrivâmes le lendemain après-midi à la ville de Meilin et envahîmes la gare qui, aussitôt, parut minuscule. Sur la place, les arbres étaient verts. Il bruinait. Au premier abord, nous fûmes enchantés de ce climat dont la douceur contrastait avec la rudesse de Pékin. Mais bientôt, un froid humide s'insinua sous nos manteaux trempés. Les étudiants faisaient la queue devant le bureau d'accueil. Notre groupe attendit jusqu'à la tombée de la nuit pour se présenter. Deux gardes rouges nous accueillirent en inscrivant nos noms sur une feuille, puis nous prièrent de patienter. Lorsqu'ils eurent compté cinquante personnes sur leur liste, ils nous firent monter dans deux camions qui nous transportèrent au centre de la ville. Le soir même, nous couchions au théâtre du Peuple transformé en dortoir. Des paillasses étaient placées dans le vestibule, sur la scène et le long des couloirs. À notre arrivée, les soldats nous distribuèrent de minces couvertures.

Il avait plu la veille. Les eaux s'étaient infiltrées par les fentes du toit, formant des flaques çà et là. Lorsqu'on se déplaçait, les chaussures laissaient des empreintes noires. L'air sentait le tabac froid, la boue, la pisse et la rouille. Je grelottais sur ma couche. Ne trouvant point le sommeil, J'essayai en vain de calmer ma pensée qui galopait comme un cheval débridé. Je songeai à mes parents, à ma chambre, à la chaude cuisine de ma mère. Je découvris avec étonnement qu'ils me manquaient. Je me souvins de cette jeune fille, dont j'avais admiré l'éloquence dans la foule des manifestants il y avait plus d'un an, et que j'avais retrouvée dans le train. Elle m'avait dit qu'elle était étudiante en littérature classique à l'université du Peuple et s'appelait Saule.

« Saule ? lui avais-je dis en riant. Un nom qui vient du poème de Wang Wei[1] :

"La ville de Wei, il bruine à l'aurore,
La poussière rafraîchie est légère
L'auberge entourée de verdure,
la couleur des saules se renouvelle
Prenez encore un verre, ami, avant de partir
À l'ouest de la porte du Soleil[2],
Vous ne rencontrerez plus les gens du pays." »

Elle avait hoché la tête, les joues empourprées.

Je la taquinai : « Mais, camarade Saule, ton nom fait partie des vestiges féodaux : pourquoi ne le changes-tu pas ? »

Elle baissa la tête et me dit : « Justement, je voulais le changer. Je voulais m'appeler Peuplier. Mais c'était

---

1. Wang Wei (701-761) : l'un des plus grands artistes de la dynastie Tang, réputé comme peintre, poète et musicien. Ce poème d'adieu a été chanté dans toute la Chine.
2. À l'ouest de la porte du Soleil se trouve le pays des Tartares.

compliqué de corriger mes papiers d'identité. Comme je voulais partir à la campagne, je n'ai pas eu le temps de faire les démarches nécessaires. »

La voyant désolée et honteuse, je la consolai : « C'est bien ainsi. Le nom de Saule est plus original. »

Les yeux fixant la voûte du théâtre, je ne pus m'empêcher de sourire. Vraiment, la naïveté de cette étudiante était déconcertante. Malheureusement, je l'avais perdue dans la foule à la descente du train.

Le lendemain, nous fûmes réveillés par le clairon. Des soldats vinrent nous tirer du lit et, toute la journée, nous entraînèrent sur la place du Théâtre. Nous apprîmes à nous tenir au garde-à-vous, à tourner à gauche et à droite et à marcher au pas. Le soir, un nouveau groupe de gardes rouges était arrivé de la gare. Je profitai du désordre pour aller me promener dans la ville. Les rues baignaient dans l'obscurité. Parfois, une lumière venue d'une haute fenêtre ou d'une ampoule suspendue sous un auvent éclairait faiblement un arbre, un trottoir, un panneau de dazibao, un mur effondré, une façade criblée de balles, un rond-point envahi d'herbes folles. Les avenues étaient étroites et les statues du président Mao sans majesté. Tout me semblait tristement provincial. Les promeneurs étaient rares, mais je rencontrais souvent des barricades, des barbelés, des fossés qui avaient servi de tranchées. Une troupe de gardes rouges armés qui patrouillaient devant la porte d'entrée d'une usine m'arrêta. Ils me fouillèrent méticuleusement et me questionnèrent. Lorsqu'ils apprirent que je venais de Pékin et que j'avais pris part au défilé du 8 août, leur méfiance tomba et ils me posèrent des questions sur la santé du Président.

C'était l'heure du dîner. Ils m'offrirent des pains à la vapeur farcis. Dès le début de la Révolution culturelle, me dirent-ils, la ville s'était divisée en deux partis. Leur groupe se nommait l'Orient rouge et leurs ennemis le Soleil rouge. Les partisans du Soleil rouge s'attaquaient au maire de la ville, que les Orient rouge avaient pris sous leur protection. Mais vauriens, bandits, émeutiers, les Soleil rouge avaient fabriqué des cocktails Molotov, volé des matraques, employé des fusils à plomb et des hachoirs pour assiéger la mairie et le quartier général des Orient rouge. On répliqua à la violence par la violence. Les deux camps s'étaient emparés des usines d'armes, avaient occupé des hôpitaux, des écoles, des manufactures. Chacun avait juré de défendre son territoire révolutionnaire jusqu'à la mort.

« À Pékin, l'armée a pris le contrôle de la situation, murmurai-je. Le président Mao...

— Le Président est mal conseillé. Le Premier ministre Zhou Enlai est le premier révisionniste du pays. C'est lui le traître à la Révolution, à la pensée maoïste. Ici, nous avons résisté à l'armée. Nous ne nous rendrons que lorsque nous aurons exterminé les Soleil rouge. »

Un garçon ajouta : « Tu comprends, nous avons perdu plus de deux cents des nôtres. Cette dette ne peut être remboursée que par le sang. »

Il me conseilla de ne plus sortir la nuit et se proposa de me raccompagner jusqu'au théâtre. Évitant les avenues et les boulevards, il me fit passer par des ruelles.

Il s'arrêta et me dit :

« Prochaine à droite et tu tomberas sur le boulevard du Théâtre. Moi, je ne vais pas plus loin. »

Je lui serrai la main et le remerciai.

Au lieu de s'éloigner, le garçon ne bougea pas. Il me dit d'un ton hésitant : « Pourrais-je te demander quelque chose ? »

Sans attendre ma réponse, il poursuivit : « J'ai toujours rêvé d'aller à Pékin et de voir le Président. Mais je mourrai bientôt, et mon rêve ne se réalisera jamais. Voici un badge que j'ai porté depuis l'âge de onze ans. Je t'en prie, quand tu rentreras à Pékin, que tu défileras devant la porte de la Paix céleste, mets-le sur ta veste. Même défunt, je serai reçu par le Président et il saura que je ne l'ai jamais trahi ! »

Après m'avoir glissé dans la main un objet qu'il décrocha de sa vareuse, il se retourna et disparut dans l'obscurité.

À l'entrée du théâtre, où l'éclairage fonctionnait, j'examinai l'objet. C'était un petit badge rectangulaire. Le nom du lycée, Étoile rouge, luisait sur un fond d'émail blanc.

Le lendemain, l'entraînement recommença, De temps à autre, on entendait au loin des tirs d'armes automatiques et des voix indistinctes. Un soir, nous étions réunis dans la salle de spectacle. Notre commissaire politique monta sur une chaise. Il divisa au hasard les cent gardes rouges en cinq unités de vingt personnes dont deux groupes de filles, désigna les cinq soldats qui nous avaient entraînés comme chefs d'escouade Il nous proposa d'élire provisoirement parmi nous les chefs-assistants et un commandant du régiment. Réunis au hasard, excepté quelques camarades avec qui nous étions partis de Pékin, les gardes rouges ne se connaissaient guère. Nous nous mîmes d'accord pour prendre les plus âgés comme dirigeants pour une courte période.

Trois jours plus tard, trois camions militaires vinrent nous chercher. Ils roulèrent une demi-journée avant de nous déposer à l'entrée d'un village. À peine nos camions disparus, un autre arriva. Dirigées par un soldat, trente jeunes filles, toutes de vert vêtues, sautèrent du véhicule. Nous applaudîmes à ce renfort. Parmi les nouvelles arrivées, j'aperçus Saule.

Situé au pied d'une montagne recouverte d'une forêt de bambous, le village n'était qu'un hameau de douze familles qui cultivaient quelques dizaines de *mus*[1] de riz. Pour ne pas les déranger, nous imitâmes l'armée rouge pendant la Longue Marche, et dormîmes sous leurs auvents, à la belle étoile. Cependant, dès le lendemain de notre arrivée, nous nous mîmes à construire nos propres cabanes.

Les villageois nous apprirent à préparer de la terre battue en la mélangeant à des feuilles, à élever une charpente des plus primitives et à couvrir les toits de branchages de bambous. Avec ce qui restait de terre battue, nous construisîmes nos lits. L'armée nous offrit des paillasses en guise de matelas.

La vie s'organisait. Une cuisine de cinq fourneaux apparut au bout de quelques jours où mijotait une nourriture rudimentaire. Nous comptions être autonomes dans un an. En attendant nous mangions du riz offert par le gouvernement.

1 Un *mu* égale à peu près 667 mètres carrés.

Nous fêtâmes l'arrivée de l'année 1969 avec émotion. Sans alcool, sans viande, sans bougie, nous allumâmes plusieurs feux de camp devant nos cabanes. Un étudiant avait apporté son accordéon et nous chantions. Les flammes crépitaient et la chaleur fit naître en nous la nostalgie et l'espoir. Je me rappelais mes promenades sur les ruines du palais de Printemps, longue période d'égarement où je me cherchais. Je constatai que la mélancolie m'avait quitté depuis mon départ de Pékin. À la campagne, je m'étais retrouvé quand je ne me cherchais plus.

Le 1er janvier, nous lançâmes un ultimatum à la Nature. Elle devait se laisser faire pour nous permettre de transformer le versant ensoleillé de la montagne en terrasses de rizière. Après avoir déboisé de larges terrains qui nous serviraient de bandes parefeu, nous brûlâmes la forêt de bambous, quartier par quartier.

À notre arrivée, le sommet de la montagne se perdait dans le brouillard. Après la pluie, elle nous impressionnait par sa couleur sombre. Lorsque nous couchions encore à la belle étoile, habitués aux rumeurs de la ville, le frissonnement des bambous, symphonie de bruits aigus, graves, clairs, sourds, subtils et sauvages, nous empêchait de dormir. Par intervalles s'établissait le silence, mais c'était pour mieux nous faire entendre le vent revenant à la charge. Des murmures, imperceptibles comme le susurrement d'une source, s'élevaient au fur et à mesure que le vent parcourait la forêt. Ils grossissaient jusqu'à devenir le tumulte d'un troupeau de cent chevaux, puis deux cents, trois cents. Soudain, le grondement de la terre, le déferlement des torrents, le fracas des vagues contre les rochers.

L'incendie dura plusieurs jours. Comme nous avions suivi les conseils de la météo, pendant ces journées, le vent était faible et des colonnes de fumée noire montaient droit dans le ciel. Depuis le village, on voyait le feu, monstre qui mugissait, sautait, s'arc-boutait, galopait.

Dans notre camp, nous ne nous parlions pas. Parfois, des rires nerveux éclataient. La puissance des flammes nous hantait. Quelques paysannes voulurent se rendre dans le petit temple situé à l'autre extrémité du village et offrir des bâtons d'encens au dieu de la Terre. Nous les arrêtâmes pour leur expliquer que ces croyances étaient superstition féodale. Dans le passé, il manquait au peuple la lumière de la Science, le Ciel et les seigneurs de la Terre le terrifiaient ; aujourd'hui, grâce au Parti communiste, maître absolu du nouveau monde, le Peuple commandait le Ciel et la Terre ! Le soir même, nous brisâmes l'idole en argile, et en dispersâmes les débris.

Après l'incendie, la montagne domptée offrait un paysage désolé. Mais nous ne la laissâmes pas sombrer dans la tristesse. Une fois les drapeaux rouges plantés partout dans la cendre, le combat commença.

Le bambou est une plante tenace et ses racines, pourtant peu profondes, sont capables de s'étaler sur une longueur extraordinaire. La houe et le hoyau à la main, nous remuions chaque morceau de terre brûlée pour en extirper les racines.

Saule était fragile comme de la soie. Au bout de quelques jours, ses bras enflés n'avaient plus la force de lever une houe. Mais têtue, elle cherchait les racines de bambous sous la terre avec une petite bêche. En janvier, il gelait la nuit. Pendant la journée, la brume tombait sur la terre humide comme un rideau de fer. Bientôt nos joues se gercèrent, nos mains rougirent et le sang suinta de notre peau crevassée. Souvent, je voyais Saule souffler sur ses mains qu'elle frottait l'une contre l'autre. Elle se mordait les lèvres et se remettait à défoncer le sol. Lorsque j'avais terminé ma parcelle, j'allais l'aider. Orgueilleuse, elle refusait, puis finissait par se laisser fléchir. Une fois, je la surpris à travailler lorsque la nuit était tombée. Le camp était désert. J'entendais sa bêche heurter les mottes durcies par la gelée.

Je lui demandai pourquoi elle était restée tandis que nos camarades étaient rentrés dîner. Surprise par ma voix, elle tressaillit. Après un long silence, elle se mit à sangloter.

D'une voix étranglée, elle m'expliqua que, depuis longtemps, elle avait honte de sa lenteur et de sa faiblesse. Elle se sentait coupable quand les autres, en une journée, faisaient le double de son travail.

« Ces mains-là, dit-elle, désespérée, les ramenant devant son visage, ne sont bonnes à rien, jamais je ne pourrai être paysanne et à la hauteur des exigences révolutionnaires. »

Je la consolai. Notre Révolution était celle du cœur. Elle ne dépendait pas étroitement des résultats de notre activité. Quand notre cher Président avait lancé le mouvement « Aller se faire rééduquer à la campagne », il voulait nous faire changer de mentalité, nous débarrasser de notre esprit bourgeois, de nos prétentions d'intellectuels.

Saule pleura longtemps. Elle me raconta que, née

dans une famille de militaires de haut grade, elle avait été choyée par ses parents. Elle avait grandi entourée de chauffeur, nurse, infirmière, cuisinière, femmes de chambre et gardes du corps, et concentré toute son énergie sur ses études. Son père lui avait interdit de partir pour la campagne. Il lui avait retenu une place dans la section de propagande de son régiment. Révoltée contre les privilèges, elle s'était enfuie de chez elle, convaincue que la rudesse des champs et les travaux physiques la fortifieraient.

« Mes parents ont gâché ma vie », répétait-elle avec amertume.

Je ne savais comment réagir. Les pleurs de cette fille m'émouvaient et me déconcertaient. Néanmoins, je réussis à la décider de rentrer au camp. À l'entrée du village, elle essuya ses larmes et me fit jurer de garder le secret de son origine.

De huit mois mon aînée, Saule était déjà en première année de maîtrise à l'université du Peuple. Surdouée, elle avait terminé en quatre ans les études secondaires.

Elle connaissait par cœur des centaines de textes anciens. Sous mes quolibets, elle me les récitait des heures durant pour que nous puissions critiquer ensuite leur caractère féodal.

Le printemps arriva enfin. La brise avait ouvert les corolles orangées des rhododendrons. Nous déviâmes le cours de plusieurs sources pour remplir notre rizière. Étage par étage, des eaux tranquilles reflétaient le bleu du ciel.

Le repiquage commença.

Pour nous stimuler, nous organisions des compétitions. J'arrivais souvent en tête de mon équipe et

Saule, toujours en queue de la sienne. En secret, elle pleurait et je la réconfortais. A présent, je savais lui raconter des histoires drôles. Les larmes aux yeux, elle riait et tout était oublié. Elle avait meilleure mine qu'en hiver. Ses joues étaient plus roses ; son visage, malgré la dureté de nos conditions de vie, avait pris de la chair.

Les étudiantes, pendant leur temps de repos, venaient chercher les vêtements des étudiants qu'elles lavaient à la mare. C'était devenu une coutume. Nous les remerciions en réparant leur toit ou en arrangeant leur paillasse. Saule prenait mes vêtements qu'elle renvoyait, pliés, sur mon lit. Maladroitement, les accrocs étaient réparés, les trous rapiécés. De nouveaux boutons apparaissaient à la place des anciens.

Bientôt, sous un soleil joyeux, les plants de riz poussèrent, et le flanc de la montagne se couvrit d'un voile de mousseline verte. Qui aurait pu croire qu'hier, ce n'était qu'une terre calcinée !

Autour du camp, nous avions transformé la friche en potager. Les haricots, les tomates, les aubergines, les pommes de terre, les carottes, les concombres et les choux avaient germé. Le chef du village nous avait offert deux poussins et nous rêvions déjà de la prospérité de notre poulailler.

Jour après jour, le hameau devenait méconnaissable. Des touffes de couleurs jaillissaient ; les arbres prenaient du volume ; la lumière avait changé le relief des maisons ; les eaux de la mare avaient un reflet plus velouté. D'autres habitants, invisibles jusqu'à présent, firent leur apparition. Des abeilles bourdonnaient, des mouches et des libellules se poursuivaient, des coccinelles et des mantes religieuses s'endormaient sous le soleil.

Dans notre campement, étudiants et étudiantes formèrent des couples d'amoureux, inséparables comme le hêtre de son ombre. Saule et moi nous nous moquions beaucoup de ces camarades éperdus. Nous étions fiers de cette amitié pure qui nous liait comme frère et sœur.

Après la saison de repiquage, nous eûmes enfin un temps de repos. Nous allions nous promener dans la montagne. Des sentiers sinueux nous conduisaient dans le secret de la forêt.

Comme il faisait beau, l'air était sec. Lorsqu'on respirait profondément, il brûlait les narines, et on y humait un parfum subtil de feuille verte.

Le soleil faisait scintiller ses pièces d'or sur les tiges. Le sol était jonché d'une couche épaisse de feuillage craquant sous les pas. Par-dessus notre tête, les bambous géants formaient une coupole. Les branches se froissaient, se courbaient, se détendaient. Agitée par le vent, chaque feuille frissonnait.

Un jour, perdus dans la forêt — nous l'avions fait exprès, avides d'imprévu — nous aperçûmes une maison en ruine. Les enclos s'étaient effondrés et il n'en demeurait que des tas de pierres éparses. La maison comptait autrefois plusieurs pièces. Une seule avait été récupérée par les cueilleurs de pousses de bambou et les chasseurs de faisans. Ils en avaient refait le toit, retapé le mur, bouché les fenêtres et installé un treillis en guise de porte.

À l'intérieur, il faisait sombre. Des rouleaux de nattes en lanières de bambou s'entassaient dans une encoignure, laissés là pour les attardés obligés d'y passer la nuit. On y trouvait encore un fourneau de terre, une marmite en céramique, quelques bols ébréchés et des branchages de bambou pour allumer un feu : à la montagne, quand on a dormi dans un refuge, on le prépare avant de partir pour ceux qui arriveront plus tard.

Une table et trois tabourets dressés devant la porte attirèrent notre attention. La terre et les lichens accumulés à leur surface étaient si épais que l'herbe y avait poussé. Saule balaya les feuilles mortes. Elle arracha les herbes et gratta les lichens avec ses doigts. Elle réussit à dégager une partie de la table. Elle était de marbre blanc !

Nous nous assîmes sur les tabourets. Il faisait humide, on flairait dans l'air la tempête qui s'élevait.

Saule était songeuse, brusquement, elle me dit : « Entends-tu ces bambous qui frissonnent ? Ils murmurent dans un langage que je connaissais. Mais pourquoi je ne m'en souviens pas ? »

Un oiseau, au plumage coloré, s'élança dans le ciel.

« Est-ce que je délire ? J'ai déjà entendu ce battement d'ailes », dit-elle encore.

Sa rêverie m'effrayait.

Je la trouvai désespérément triste et me tus.

Mon silence la troubla, elle posa ses yeux sur moi un long moment et me dit :

Tout à l'heure, je t'ai demandé de venir avec moi, parce que je voulais te dire une chose... » Elle s'arrêta. Je la pressai de continuer.

Elle me regarda fixement. Soudain, deux sillons de larmes jaillirent de ses yeux et coulèrent sur ses joues. Elle murmura :

« Je ne pourrai plus jouer du piano ! »

Je lui demandai pourquoi.

Ses pleurs redoublèrent. Elle me montra ses mains aux doigts rougis, aux articulations enflées.

Je reconnus le symptôme du rhumatisme inflammatoire.

« As-tu mal ? »

Elle sanglota de plus belle.

Je pris ses mains entre les miennes. Je me souvins que pendant tout l'hiver, elle avait labouré la terre avec une bêche. Elle avait lavé mes vêtements, au moment où les eaux de la mare, au début du printemps, devaient être glacées !

Entre deux soupirs, elle me dit qu'elle avait commencé le piano à l'âge de six ans. À quinze ans, elle avait le choix entre le Conservatoire national et l'université. Mais elle avait préféré étudier d'abord et devenir pianiste plus tard.

« Je ne dois pas me lamenter sur mon sort. Être pianiste est un souhait bourgeois et révisionniste. Mais tu comprends, c'est le rêve de mon enfance ! Cela représente plus de trois mille heures d'exercices. »

Sa confession me déchira le cœur. Fils de médecin, je connaissais la douleur et les séquelles de sa maladie. Pourtant, je lui dis : « Saule, ressaisis-toi, tu es un soldat. »

Je m'étais juré de guérir Saule. Les jours de congé, je parcourais la campagne entière pour lui procurer des fraises, des framboises et d'autres fruits riches en vitamine C de ce début de l'été. Me souvenant de bribes de conversation entre mes parents, je lui ramenais aussi des feuilles de fraisiers et lui préparais des tisanes.

La saison de la récolte commença, et les soldats nous quittèrent. Nous élûmes les nouveaux chefs parmi les étudiants. Je fus nommé commandant du régiment.

J'usai de mon autorité pour que Saule demeurât au campement et travaillât à la cuisine. Elle se révolta et venait aux champs lorsqu'elle n'était pas retenue par ses fourneaux.

Aussitôt après la cueillette du riz, le second repiquage commença.

Au mois de juillet, le ciel se couvrit de nuages noirs comme des plaques d'acier et le déluge s'abattit. Pour sauver nos plants de riz, nous surveillions les digues à tour de rôle, ouvrions des brèches pour évacuer l'eau. Trempée par la pluie, la terre se ramollissait. Le terrain s'effondrait et la boue se déversait sur la rizière. Deux ou trois fois par nuit, j'étais tiré de mon sommeil par le gong frappé par le gardien. J'enfilais un manteau de feuilles de bambou et me lançais dans l'obscurité ruisselante. La lampe torche éclairait la boue noire, des flaques d'eau, des feuilles mortes. Soudain, j'entendais un coup de gong, deux puis trois, puis quatre, qui sonnaient l'alarme. C'était la montagne qui menaçait de s'effondrer !

Un jour, la pluie se décida à faiblir. Il bruinait. Debout dans une rizière, je voyais les terrasses former un escalier géant que gravissaient des rouleaux de nuages blancs. Je me souvins de ma prétention lorsque la construction des rizières venait d'être achevée : je croyais avoir dompté la nature.

À présent, un autre paysage s'étendait devant mes

yeux. La montagne était trempée, immense le rideau
de pluie, infini le ciel. Vulnérable était l'être humain
minuscule et risible, et je faisais partie de cette en-
geance.

L'automne arriva. Le soleil avait réparé les dégâts
causés par la pluie et nous avait réservé une belle récolte.

Le Comité révolutionnaire de la ville de Meilin
nous envoya une délégation. Je croyais qu'elle voulait
contrôler nos travaux. Mais ses six membres refusè-
rent les lits que nous leur proposions et préférèrent
loger chez l'habitant. Le chef du village, impressionné
par leur importance, les installa aussitôt.

Le lendemain matin, ils convoquèrent les cent
trente étudiants au pied de la montagne, dans une
clairière où nous avions l'habitude de tenir nos réunions. Comme de vrais paysans, beaucoup d'entre
nous arrivèrent avec une faux et une serviette sur la
tête. Faisant partie des dirigeants, j'étais furieux que
cette délégation nous eût caché le but de sa visite et
que personne ne nous eût consultés avant le meeting.
Cependant, je suivis la foule et me mis dans un coin
pour mieux observer.

Leur chef était un jeune homme de vingt-cinq ans,
de taille moyenne, maigre. Une mèche de cheveux
s'échappait de sa casquette militaire. Derrière ses
lunettes épaisses, ses sourcils en brosse abritaient des
yeux de crapaud. Ses lèvres minces, un peu efféminé-
es, trahissaient une grande tension intérieure. Il
grimpa sur un rocher, garda un moment le silence
pour capter notre attention, puis, un poing sur la
hanche, il nous harangua :

« Camarades, soldats et gardes rouges, envoyé par

le Comité révolutionnaire de la ville de Meilin, je viens vous annoncer une grande nouvelle ! L'Orient rouge, le groupe contre-révolutionnaire, est enfin détruit par la glorieuse armée du Peuple ! »

Des murmures s'élevèrent. Après le départ des soldats, la rumeur avait couru. On disait que le clan révolutionnaire Soleil rouge s'était allié à l'armée. Pourchassés, les membres de l'Orient rouge avaient préféré se replier sur l'université de la ville de Meilin. On disait aussi que le siège avait duré une vingtaine de jours et que, munitions et nourriture épuisées, les Orient rouge avaient avalé de l'arsenic et laissé à l'armée une salle pleine de cadavres. Depuis, le Soleil rouge régnait.

« Le noyau dur du groupe contre-révolutionnaire est anéanti, continua le garçon. Mais les sympathisants de l'Orient rouge se cachent encore parmi les étudiants qui reçoivent l'éducation à la campagne. Ils cherchent à tromper notre vigilance et à saboter notre mouvement révolutionnaire. »

Il agita le bras et lança : « Vive la Révolution culturelle », « Vive le président Mao Zedong », « Vive la pensée maoïste ». Ces slogans furent répétés par une centaine de voix sans énergie. Après dix mois de rééducation, à force de labourer les champs et de compter les grains de riz, nous étions gagnés par la torpeur, la vieille ennemie de l'enthousiasme.

Les autres membres de la délégation se tenaient au pied du rocher. Jeunes, propres, en habit militaire, ceinturon de cuir, armés de pistolets, ils avaient cette insolence superbe que j'avais manifestée, lorsque je sillonnais Pékin avec les troupes révolutionnaires, pour traquer les partisans révisionnistes. En face de ces seigneurs, en haillons, dos courbé, visage halé, mains calleuses, regard vide d'expression, nous étions leurs serfs.

Le délégué s'énerva. Il trouva que nous manquions de dynamisme. Pour nous stimuler, il nous proposa de transformer immédiatement cette réunion de motivation en réunion de dénonciation. Je regardais impuissant le soleil caresser le zénith. Le riz, lourd comme une femme enceinte, nous attendait dans la montagne.

Je haussai la voix pour qu'on m'entendît depuis le sommet du rocher :

« Pourrait-on remettre l'heure de dénonciation à ce soir ? La récolte nous attend. En cette saison, chaque minute de la journée est précieuse. »

Ma proposition fut approuvée par les étudiants. La foule s'agita et s'apprêta à se retirer. Le chef délégué me toisa : « La séance est levée, dit-il, crispé. La prochaine aura lieu ce soir à huit heures, à la cantine. »

La délégation réquisitionna une chambre chez un paysan où elle installa son bureau. Les cent trente pionniers furent convoqués successivement pour un entretien. Cette inspection méthodique perturba notre travail. La rizière était devenue une agora où nous échangions les informations. On disait que les délégués étaient d'anciens gardes du Soleil rouge et qu'ils avaient dans le ventre une haine tenace et une obsédante peur.

Premier interrogé, je fis un compte rendu le plus honnête possible. Notre régiment se composait essentiellement d'étudiants venus de Pékin. À notre arrivée à Meilin, nous avions été regroupés par l'armée dans le théâtre du Peuple. Installés au pied de la montagne, à cause des difficultés de transport, nous étions presque isolés du monde. Comment, dans ces conditions, aurions-nous pu prendre contact avec les Orient rouge et nous mêler au conflit qui avait divisé la ville de Meilin ? La délégation n'insista pas. Leur chef fumait cigarette sur cigarette et observait le déroulement de la séance derrière ses lunettes noires. Il n'avait pas prononcé un mot. Lorsque je quittai le bureau, il me suivit des yeux jusqu'à la porte où il me salua froidement.

J'essayai de calmer l'inquiétude de mes camarades. Selon moi, l'interrogatoire était une formalité et la délégation partirait bientôt pour un autre village. Mais les plus pessimistes disaient qu'elle ne partirait pas sans trouver parmi nous un bouc émissaire.

Le gros Zhang, dont les parents étaient originaires de Meilin, fut convoqué au bureau une seconde fois. Au retour, il sembla changé et personne ne put lui arracher une explication sur ce qui venait de se passer. Partageant la même cabane que lui, connaissant son caractère peureux, j'étais convaincu de son innocence et prêt à plaider pour lui, lorsqu'un après-midi les membres de la délégation vinrent à la rizière pour m'arrêter.

Ils me mirent aux poignets une paire de menottes et m'amenèrent au village. Leur chef, son éternelle cigarette au coin de la bouche, m'attendait derrière le bureau.

Je m'assis sur une chaise et lui demandai d'un ton calme la raison de mon interpellation. Il sourit et sortit un cahier. Je sursautai : il avait entre ses mains mon journal intime.

L'interrogatoire commença. La délégation m'accusa d'avoir, en tant que membre de l'Orient rouge, participé à une conjuration afin de renverser le Parti communiste et le Président. Leurs pièces à conviction : le cahier où j'avais consigné ma rencontre avec le jeune membre de l'Orient rouge ; le badge du lycée Étoile rouge.

Je ne pouvais pas me laisser écraser par la calomnie. Indigné, je rétorquai que j'avais toujours agi en bon militant de la Révolution culturelle. Ils s'énervèrent. Les manches retroussées, ils détachèrent leur ceinturon.

Je répondis à leurs coups par des imprécations. Adolescent, je me demandais avec angoisse si, en bon communiste, je pourrais supporter les tortures sans trahir. À présent, la conviction de mon innocence faisait naître en moi la force de me battre contre l'injustice.

L'aurore venue, la délégation m'enferma dans le temple qu'elle avait transformé en prison. Je me traînai jusqu'à l'autel d'où les dieux avaient été arrachés. J'y trouvai des coussins déchirés sur lesquels les adeptes d'autrefois s'agenouillaient. Vaille que vaille, je m'y allongeai.

Tremblant de tout mon corps, j'avais du mal à m'endormir. Le soleil traversait une minuscule fenêtre située à deux mètres du sol et projetait sa lumière au-dessus de l'autel. Je regardais les poussières tourbillonner dans ce maigre faisceau.

Qui avait révélé à la délégation l'existence de mon journal intime ? Qui m'avait trahi ? Était-ce le gros Zhang qui m'avait vendu pour se tirer d'embarras ? Était-ce Hui, qui, un jour, levée plus tôt que l'habitude, m'avait vu rédiger mon journal ?

Qui m'avait espionné ? Qui m'avait suivi dans les différents endroits où je cachais ce cahier ? Était-ce Li, mauvaise langue et curieux comme une chouette ? Était-ce Fan, que j'avais grondé parce qu'il avait emprunté ma houe sans m'avertir ? Était-ce le chef du village ? Non, ce n'était pas possible. Illettré, comment aurait-il pu déchiffrer mon écriture ? À moins que l'autre soir, ivre mort, je lui aie fait des confidences ?

Le lendemain après-midi, réveillé à coups de pied, je fus traîné hors du village. On avait dressé près du rocher un plateau au-delà duquel s'étageaient les terrasses des rizières. Des drapeaux rouges, de part et d'autre de la tribune, claquaient dans le vent, donnaient de la couleur et de l'impétuosité au paysage. Une large banderole pourpre était accrochée sur le fronton de la scène, où on lisait en caractères blancs : « Réunion pour condamner le révisionniste contre-révolutionnaire Wen ».

J'étais soulagé de sortir de mon isolement, où, obsédé par mon dénonciateur inconnu, je croyais devenir fou. On me conduisit sur la scène. Malgré l'énorme écriteau suspendu à mon cou et qui énumérait mes crimes, je réussis à lever la tête et, en un clin d'œil, à embrasser les rizières. Les terrasses formaient une superposition de miroirs brisés. Les nuages projetaient sur la montagne leur reflet noir. Une traînée de brume flottait sur la forêt de bambous.

On commença la réunion par la lecture des maximes du Président. Puis, le chef de la délégation dénonça « la perte de la vigilance et le relâchement moral au sein des gardes rouges ».

Les mains liées dans le dos, je fus poussé sur le

devant de la scène où, face au public, on me fit m'incliner jusqu'à terre. La mise en scène était classique. Au lycée, j'avais animé une dizaine de spectacles du même genre mais c'était une chose nouvelle que de me retrouver à mon tour dans le rôle du condamné. L'écriteau, qui tenait à un mince fil de fer, me sciait le cou. Le dos broyé, mes jambes brûlaient, mes muscles se déchiraient, ma tête explosait. Pendant le discours, je voulus observer la réaction de mes camarades. Seraient-ils outrés ou indifférents ? Au fond de moi, j'étais convaincu de voir ceux avec qui j'avais partagé le labeur, bravé les tempêtes et bâti une nouvelle vie, s'insurger contre la délégation. Sous leur pression, on me déclarerait innocent. Mais, au moindre mouvement, mes tortionnaires me bourraient de coups de poing. Je dus me résigner à contempler le bout de mes chaussures.

Après quelques slogans et des chants révolutionnaires, quelqu'un monta sur le plateau, et je reconnus la voix du gros Zhang. Il se mit à geindre : j'avais essayé de lui inculquer des pensées révisionnistes en me moquant des habitudes paysannes ; je disais qu'il fallait lire et écrire pour ne pas tomber dans l'idiotie ; par acquit de conscience, il avait feuilleté certains passages de mon journal intime et en avait été choqué.

« Pour Wen, dit-il d'une voix mal assurée comme s'il lisait un texte, la rééducation à la campagne est un camouflage, une occasion de s'infiltrer dans le groupe des pionniers afin d'y répandre le poison de sa pensée négative. »

Selon lui, arrivé à la ville de Meilin, j'avais pris contact avec des membres du groupe contre-révolutionnaire l'Orient rouge, et l'entente avait été immédiate. Nous avions échangé le signe de reconnaissance qui était un badge portant le nom d'un lycée. Ma mission était de développer un réseau contre-révolutionnaire à la campagne.

Le gros Zhang fut interrompu par des râles échappés de ma gorge.

« Menteur ! scélérat ! Tu vas payer pour ta diffamation... »

Une pluie de coups de poing tomba sur moi et ma phrase s'étrangla. Quelqu'un prit le relais de Zhang, et je reconnus la voix de Hui. Elle dénonça mes malveillances contre les camarades. Une fois, elle était tombée gravement malade, je l'aurais forcée à aller aux champs.

« Feignante ! Chienne ! » je proférais des injures qui déclenchèrent une avalanche de coups de ceinture. Je tombai. Mais on me releva. Li arriva sur le plateau et parla de l'échec de mes sabotages. J'avais cassé des houes pour empêcher mes camarades de travailler ; j'avais profité de la tempête du mois de juillet pour ouvrir les digues et inonder les rizières.

« Calomnie ! Calomnie ! »

Mais mes protestations furent noyées dans le slogan lancé par le chef de la délégation et que la foule répétait : « À bas le contre-révolutionnaire Wen ! À bas le traître à la Révolution culturelle ! Vive la pensée maoïste ! »

Quelqu'un me cracha à la figure et m'accusa d'avoir abusé de la confiance des étudiants qui m'avaient élu. Il confirma que j'étais hostile à la délégation, que je répandais sur elle des mensonges infâmes.

Les uns après les autres, ils montèrent sur scene.

Je ne pouvais plus injurier personne, car pour me faire taire, on m'avait enfoncé une chaussette dans la bouche. J'apprenais que les détails de la vie quotidienne pouvaient servir de support à toutes les diffamations. Je découvris que j'étais haï par ceux que je croyais mes amis, qui, hier, me souriaient. Puis, une dernière désillusion, plus cinglante que tous les coups, me brisa.

La voix du chef de la délégation éclata dans le mégaphone : « Camarade Saule, vous avez eu le courage de dénoncer le contre-révolutionnaire, vous qui avez révélé le lieu où il cachait son journal intime, la preuve qui fait notre conviction, vous n'avez rien à dire au public ? »

Mon sang se glaça dans mes veines. Je rassemblai mes dernières forces et levai la tête. J'aperçus Saule dans la foule.

Je lui adressai un regard si haineux que mes yeux me firent mal. Soudain, je reçus un coup de ceinture sur la tête, mes tempes se mirent à bourdonner et je tombai évanoui.

La nuit qui suivit ce pilori fut triste. Je regardais la lune par ma minuscule fenêtre. Pleine comme un visage, elle me souriait mystérieusement. Que penses-tu de moi ? Que penses-tu de notre monde que tu couvres de tes rayons argentés ? Détachée de la vie terrestre que tu contemples depuis les cieux, distingues-tu le destin de tous les êtres ? Toi qui as connu les héros de jadis, les dynasties, les empereurs, les courtisanes, les poètes, et qui éclaireras encore le monde quand nous ne serons plus, vois-tu déjà mon avenir ?

Mais la lune silencieuse se déplaça et disparut de la fenêtre.

Le lendemain, l'interrogatoire et la torture recommencèrent. Fatigué et désespéré, je refusais de reconnaître mes crimes, et préférais mourir sous les coups. Que pouvais-je espérer, puisque la vie n'était qu'humiliation et trahison ? Mais mon corps était, hélas, résistant. Les meurtrissures, les plaies, le sang, le faisaient s'accrocher farouchement à cette existence misérable.

À l'heure du déjeuner, les membres de la délégation me ramenèrent au temple. Ils me ligotèrent et s'en allèrent à la cantine. À peine m'eurent-ils quitté que j'entendis de faibles sanglots. Traînant mes jambes raidies par la douleur, je m'approchai de la fenêtre et demandai qui pleurait.

« C'est moi, me répondit Saule.

— Va-t'en ! Je ne veux plus te voir, va-t'en d'ici. Laisse-moi tranquille.

— Écoute-moi, je t'en supplie ! Ils sont venus me demander où tu cachais ton journal intime. Un soir, j'avais vu que tu remettais quelque chose dans le tronc de ce saule pleureur... Je ne voulais rien leur dire... Mais ils m'ont dit que c'était important, que tu étais impliqué dans un complot contre-révolutionnaire. Je ne les croyais pas. Je me suis dit que le journal prouverait ton innocence. Pauvre sotte que j'étais...

— Tais toi ! » criai-je de toute ma force. La confiance que je lui avais accordée, le souvenir des merveilleuses journées passées ensemble me serrèrent le cœur. Des larmes jaillirent de mes yeux. Ma voix se déchira :

« Pourquoi viens-tu ici me raconter ce tissu de mensonges ? Ils t'ont envoyée pour m'arracher des aveux ! Tu n'auras rien, rien du tout ! Va-t'en d'ici, va dire à tes maîtres que ce sont eux les contre-révolutionnaires !

— Pardon, me dit-elle en criant aussi. Je t'en prie, Wen, pardonne-moi ! Tout était ma faute. Je meurs de regret ! »

Fou de rage, je me jetai frénétiquement contre le mur en hurlant :

« Hypocrite ! Va-t'en ! Tu n'es plus mon amie ! Tu m'as trahi ! Va-t'en ! »

Mes hurlements attirèrent les membres de la délégation. Ils ouvrirent la porte, me bâillonnèrent. Je m'écroulai par terre, épuisé, impuissant, vidé de toute pudeur, de toute dignité.

À la nouvelle séance de condamnation, le nombre des participants avait diminué. Les paysans étaient retournés aux champs, et les trois quarts des étudiants seulement étaient venus. Leur fièvre était tombée. Les accusations proférées contre moi, monologues sans énergie et sans éloquence, se terminaient en queue de poisson. Le chef de la délégation me donna un coup de poing dans le visage et je me mis à saigner du nez. Le sang lui-même ne suscita pas l'effet attendu. Mes bourreaux et mes juges étaient fatigués.

Rentré au temple, ma douleur sembla diminuer. Je me couchai sous l'autel comme un chien battu. Les toiles d'araignée, l'obscurité et l'odeur fétide de mes propres immondices ne me faisaient plus horreur. La colère et l'obsession de la vengeance qui bouillonnaient en moi depuis plusieurs jours avaient disparu. Le silence tomba. Les flammes du crépuscule pâlirent à l'horizon. La nuit s'éleva. Bercé par le cri intermittent des grillons, blotti dans une quasi-sensation de bien-être, j'allais m'endormir, lorsque quelqu'un se glissa sous la fenêtre et m'appela. Je la reconnus mais ne lui répondis pas.

« Je sais que tu es là, dit Saule d'une voix éteinte. Mais tu ne veux plus me parler. Tant pis... Je ne serai pas pardonnée. Je ne me pardonnerai jamais. »

Je l'entendis pleurer.

« Wen, je suis venue te donner ce baume. Il pourra apaiser la douleur de tes plaies. »

Quelque chose frappa les barreaux de la fenêtre, rebondit à l'intérieur du temple, roula sur le pavé. Un moment de silence s'écoula. Je la croyais déjà partie quand elle dit :

« Wen, dors-tu ? De quoi rêves-tu ? Hier, je suis allée me promener dans la forêt de bambous. J'ai grimpé jusqu'à la hauteur de la maison en ruine... »

Ses sanglots réveillèrent le garde. Elle disparut.

La lune montait à ma fenêtre, elle y resta songeuse, puis s'en alla. Je regardai le coin de ciel illuminé par son passage. Lentement, il s'éteignit et des étoiles apparurent. Ce soir-là, je ne pus fermer l'œil. Je pensai à mes parents. Les détails d'une vie évaporée me revenaient avec une netteté accablante : j'entendais le bruit des légumes jetés dans l'huile, des casseroles qui s'entrechoquaient, des rires qui fusaient, des bicyclettes qui sonnaient sous la fenêtre. C'étaient mes camarades de classe qui arrivaient. J'étais heureux, tranquille. Le soir tombait et balançait sa lumière cramoisie sur les vitres. Oui, c'était le Nouvel An ! Des pétards éclataient, des feux d'artifice sifflaient. On préparait des raviolis. Ma mère, à côté de moi, sentait le parfum du savon Temple céleste.

Les ronflements du vent et les murmures des bambous me ramenèrent à la réalité. Je tressaillis. Ma pensée soudain devint lucide comme elle ne l'avait jamais été.

Ce qui avait manqué à ma vie de citadin, c'était le contact avec la terre. Je mangeais du riz sans savoir d'où il venait, ni la sueur qu'il avait coûtée. Mon existence avait été un minuscule château bâti sur les travaux invisibles de millions de gens. Pour palper la réalité, j'avais suivi la Révolution culturelle qui m'avait fait souffrir du froid, de la chaleur, du labeur, mis en prison pour éprouver mon endurance et abattre mon orgueil. En un an, les événements avaient détourné le cours de mon destin, emporté en terre inconnue. Hier, lieutenant de la Révolution, aujourd'hui prisonnier, j'étais impatient de connaître ma prochaine destination. Demain — puisque le monde m'avait ouvert ses portes — je continuerais ma course. J'irais loin, très loin.

Ma vie est un voyage solitaire ! Mais mon bagage est lourd de nostalgie !

Je me levai de ma couche et ramassai la petite boîte que Saule m'avait lancée par la fenêtre. Je l'examinai en soupirant.

C'était le moment de me détacher de toutes ces âmes amies et de partir. Seul.

Le lendemain de la réunion de condamnation, la délégation décida de s'en aller. Ils emmenèrent avec eux la victime de leur inquisition.

Les étudiants s'étaient rassemblés pour me voir

sortir de ma geôle. La tête haute, les mains attachées derrière le dos, j'examinai leur visage. Ils baissèrent les yeux pour éviter de croiser mon regard. Je cherchai Saule et ne la trouvai pas.

On me jeta dans un camion qui roula longtemps avant de s'arrêter. Les membres de la délégation étant descendus, seuls deux gardes me surveillaient. Vautré dans mon coin, j'écoutais avec délice la rumeur de la ville.

Le camion redémarra. Les bruits s'affaiblissaient. Lorsqu'il s'arrêta de nouveau, on me fit descendre. À l'orée d'un bois, on me poussa vers une bâtisse entourée de hauts murs hérissés de fils de fer barbelé. Je changeai mon vieil habit de paysan taché de sang et de pus contre une tenue propre de prisonnier.

J'avais entendu dire que, dans l'univers carcéral, les nouveaux arrivés étaient roués de coups jusqu'à ce que rancœur et arrogance fussent secouées comme les poussières d'un vêtement que l'on nettoie. Dans mon quartier, peuplé de criminels politiques — des universitaires que la calomnie avait décidé d'assassiner —, les tortures étaient rares. Après l'échange de son nom contre un numéro, on devenait un objet, une ombre.

Mais la faim est un supplice plus efficace que les poings et les ceintures. Un bol d'eau et un demi-bol d'écorces de riz par jour nous maintenaient en vie, perpétuellement frustrés.

Dans mes rêves, les nouilles, les viandes, les légumes les plus ordinaires prenaient une couleur vive, un parfum excessif qui me rendaient fou et qui disparaissaient lorsque je rouvrais les yeux. Parfois, l'estomac en feu, le cerveau pris de frénésie, je suivais d'un œil avide les cafards géants qui couraient dans les fentes des murs. J'avais une envie animale de croquer de leur chair.

Toute la journée, je gisais sur ma couche, mordu par l'abattement. La notion du temps commençait à s'estomper. Ma pensée ralentissait, mon corps se desséchait. Je n'étais qu'un morceau de bois. Les souvenirs de Pékin et de la montagne revenaient par bribes, images vagues. Seule, l'obsession de manger occupait mon esprit, me faisait délirer et me rappelait mon humanité.

Un après-midi, on m'annonça une visite et on me conduisit au parloir. L'endroit était sordide. Les murmures se mêlaient aux pleurs étouffés. Chaque prisonnier occupait une table, face à sa famille. Je n'attendais personne. Depuis mon arrestation, on m'interdisait de correspondre avec le monde extérieur. Peut-être, un des camarades avec lesquels j'étais parti de Pékin avait-il écrit à mes parents, qui, sortis probablement de l'école du 7 mai, m'avaient déniché dans cette geôle. Perplexe, je cherchais des yeux un visage connu, quand j'aperçus Saule.

« Comment m'as tu trouvé ? Comment es-tu partie du village ? Que fais-tu ici ? » Je l'accablai de questions d'un ton rauque, plein de reproche.

Elle pâlit et ne me répondit pas.

Je regardai autour de moi. Aux quatre coins de la salle, les gardes armés étaient pétrifiés comme des statues, et personne ne faisait attention à nous.

Brusquement, je saisis ses mains et la serrai de toute ma force.

« Saule... » Ma voix s'étrangla.

Elle sourit.

Nous demeurâmes ainsi les mains dans les mains, sans pouvoir prononcer un mot. Sentant la chaleur de sa paume, j'éprouvai un grand bonheur.

Les gardes commençaient à chasser les visiteurs et à faire rentrer les prisonniers. Revenu de mes rêveries, je lui criai : « Saule, j'ai faim ! »

Des larmes jaillirent de ses yeux.

« Ils m'ont fouillée avant de me laisser entrer. Ils m'ont pris tout ce que je t'avais apporté.

— Écoute, le long de l'enceinte de la prison, il y a une place où l'herbe a poussé sur le sommet du mur. À cet endroit-là, les gardes ne contrôlent presque jamais. Je peux y aller lors de la promenade. Je t'en prie, Saule, pour la première et la dernière fois, jette-moi par-dessus le mur un pain à la vapeur, ou une boule de riz, ou quelques nouilles enveloppées dans du papier journal. »

Elle hocha la tête en pleurant.

« Ne viens plus me voir. Retourne au village. Oublie-moi ! »

Un garde se dirigeait vers nous. Saule se leva vivement. Elle me fixa comme si, par le regard, elle voulait m'arracher à ce terrier noir et m'emporter avec elle dans la lumière. Sans un mot, elle partit.

Le reste de cette journée fut plongé dans les ténèbres. Plusieurs fois, dans mon découragement, l'idée de la mort me frôla.

Le lendemain, je me levai en regrettant déjà d'avoir imposé à Saule mon caprice. Je me reprochais mon égoïsme. Le temps, absent de ma vie de prisonnier, refit surface. Il s'écoula lentement, péniblement. Je revoyais Saule, ses vêtements, son visage, j'entendais sa voix douce qui se détachait du frisson des bambous. Chaque souvenir d'elle était pour moi une source de plaisir et de mélancolie. À la fin de la journée, j'aperçus à l'extrémité de la cour un paquet. Profitant d'un moment d'inattention des gardes, je m'éloignai de la foule des promeneurs et le ramassai furtivement.

Il y avait deux pains à la vapeur. Le soir, je les partageai avec les trois professeurs de ma cellule. Je coupai ma part en petits morceaux. Toute la nuit, je les mâchai, prolongeant le plaisir jusqu'à la dernière miette.

Le lendemain, la faim me tenailla de plus belle. À cette douleur s'ajoutait le désespoir d'être enchaîné et oublié du monde.

Mais, au début de la soirée, je découvris au pied du mur un nouveau paquet contenant deux galettes farcies.

Saule venait de transformer mes journées en enfer.

Où vivait-elle ? Dans mon imagination, je la voyais vagabonder le jour dans la ville de Meilin et le soir dormir sous un pont. Elle n'avait pas d'argent. Elle mendiait dans les restaurants. Elle volait.

Comment avait-elle fui du village ? Avait-elle parcouru les centaines de kilomètres à pied ? Était-elle recherchée par nos camarades qui s'étaient aperçus de sa disparition ? Y avait-il des voyous dans la ville qui la harcelaient ? de méchants enfants qui l'humiliaient ? Avait-elle froid ? Avait-elle faim ? Combien de fois par jour pleurait-elle

Jamais souffrance ne fut aussi grande que la mienne. À la fin de l'après-midi, lorsque j'apercevais son envoi, ému, je sentais mes entrailles se tordre de douleur. Le soir, une joie muette émergeait de la profondeur de mon âme. Je partageais cette nourriture avec mes camarades de cellule qui la regardaient avec la ferveur des affamés. Toute la nuit, je ruminais, me pourléchais, j'étais heureux, fier d'être nourri par une fille belle, intrépide, la plus extraordinaire au monde. Parfois, je laissais mes rêves vagabonder. Je nous voyais mariés. Elle me faisait des raviolis. Ses mains, ayant retrouvé leur blancheur et leur finesse, maniaient habilement la pâte qu'elle garnissait de nos ivresses quotidiennes. Je nous voyais faire des enfants, et vieillir ensemble. L'idée que nous allions mourir me faisait tressaillir. Cent ans ! la vie est si brève pour les êtres qui ne peuvent se quitter !

Mais, le lendemain, saisi d'anxiété, je priais le ciel pour qu'elle ne revînt plus, qu'elle m'oubliât. L'automne touchait à sa fin, l'hiver balbutiait déjà. Le jour tombait comme un rideau gris et mon angoisse augmentait. Le monde extérieur me paraissait peuplé de monstres : comment Saule survivait-elle ? Souvent, je ne recevais rien pendant des jours. Fou d'inquiétude, je me serais évadé de la prison pour vérifier si rien ne lui était arrivé. Puis, un soir, un paquet arrivait par-dessus le mur, et m'assurait qu'elle était encore vivante.

On la laissa me faire encore une visite. Ses vêtements sentaient mauvais, ses yeux paraissaient immenses sur son visage amaigri. Prenant ses mains dans les miennes, je la suppliai de retourner à Pékin, chez ses parents.

Elle secoua la tête.

« Attends-moi à Pékin », m'écriai-je enfin. Effrayé par cette déclaration, je m'arrêtai au milieu de la phrase.

Elle rit.

Livrée à elle-même, endurcie, elle paraissait plus robuste. Ses yeux scintillaient d'une lumière maligne, joyeuse.

Avant de partir, elle posa dans le creux de ma main une fleur de chrysanthème. Pour la préserver de la fouille, elle l'avait cachée dans ses cheveux.

Le lendemain au soir, je marchais parmi les détenus. La tête baissée, je rêvais encore à cette scène quand j'entendis soudain la voix d'un maton : « Qui va là ? Ne bouge plus ! »

Je tournai vivement la tête en direction du mur. Un objet, jeté par-dessus l'enceinte, s'écrasa dans la cour quand des coups de feu retentirent.

Je bousculai le garde qui voulait m'arrêter et me précipitai vers le mur. Tous les prisonniers me suivirent. Dans le tumulte, j'entendis de l'autre côté quelqu'un prononcer cette phrase : « Ramasse le corps. Elle est morte. »

Qui était Saule ? Elle avait traversé les ténèbres de mon existence comme une étoile filante. Où était-elle partie ? Où la retrouver ?

Je me laissai tomber à terre. Un professeur qui partageait notre cellule me présenta le paquet ouvert.

« Un poulet », me dit-il en larmes.

Le téléphone retentit dans l'appartement, Comme personne ne répondait, la sonnerie, imperturbable, continua.

« Oui, maman », s'écria Ajing qui avait traversé le salon en courant pour décrocher.

« Non, maman, je n'ai pas le temps. Je pars. Je vais à Hong Kong pour le salon cosmétique international. J'y présenterai mon nouveau parfum... Je vous appellerai demain matin. »

Le téléphone coincé entre la joue et l'épaule, Ajing retourna dans sa chambre. Elle ferma sa valise.

Maman était un peu dure d'oreille, et elle adorait déranger Ajing quand elle était pressée.

« Maman, je n'ai pas le temps de vous en parler maintenant. Demain matin ! Ce n'est pas vrai, maman, je vous rappelle toujours, quand j'ai un moment de libre. »

« Non, maman, je n'ai pas téléphoné à ce garçon. Cessez de vous inquiéter inutilement. Ne me présentez plus personne ! Je suis heureuse d'être seule et je n'ai aucune envie de me marier... »

Maman était choquée. Profitant de son silence Ajing lui dit : « Je pars. Je vous téléphonerai ce soir. »

Elle tira sa valise jusqu'à la porte d'entrée et retourna au salon pour poser l'appareil sur sa batterie. Derrière la baie vitrée se dressait une forêt de gratte-ciel, puzzle de reflets et d'étincelles. Vingt étages plus bas, les avenues de Pékin s'entrelaçaient dans un brouillard fusillé de lumières et de couleurs.

En soldat prêt à partir au champ de bataille, elle se recueillit un bref instant et se dirigea vers la sortie.

Ajing s'affala dans le taxi. Couchée la veille à deux heures du matin et levée à sept heures, elle commençait à ressentir de la fatigue en cette fin de journée d'été lourde de chaleur. Blottie sur son siège, elle allait faire un somme quand son portable sonna.

« Oui, Zhanghuan, c'est une très bonne nouvelle. » Ajing ne put empêcher de sourire. Ses produits venaient de conquérir le marché singapourien. « Tu as bien travaillé. Je suis d'accord. Qu'il prépare le contrat et qu'il me le faxe à l'hôtel. Dis à Aurore de passer chez moi. Mon ordinateur est en panne. Il est urgent qu'elle me le répare. Merci. »

Elle donna encore quelques coups de fil à ses associés, quand son deuxième portable se fit entendre.

Elle sourit à nouveau en voyant le numéro affiché sur l'écran.

« Bonsoir... Moi ? Je suis épuisée... Notre soirée a été trop longue. Non, je ne peux pas. Je serai à Hong Kong Je t'appellerai demain, à onze heures précises... ›

Elle avait découvert ce jeune avocat stagiaire de vingt-quatre ans dans le cabinet de son meilleur ami.

De quatre ans son aînée, Ajing avait pour lui une tendresse maternelle. Sa naïveté l'amusait. Il vivait dans l'illusion romantique des étudiants qui lui rappelait le bon vieux temps disparu.

À l'autre bout du téléphone, il se mit brusquement à sangloter. Il se plaignait de voir Ajing trop peu. Il la soupçonnait d'avoir un amant. Elle lui manquait. Il l'aimait.

Ajing écarta le mobile de son oreille. Cette longue déclaration l'agaçait. Elle détestait ceux qui croyaient la posséder. La passion est un jeu, et l'amour un miracle rare. Comment pouvait-on être amoureux d'elle au bout de trois semaines ? Ajing en doutait. Seul, un cœur volage était sans cesse épris. Puis, ayant pour règle de ne jamais montrer de faiblesse, Ajing méprisait les lamentations de femmelette.

Elle consola son soupirant en lui promettant une prochaine soirée, tout en sachant qu'elle ne tiendrait pas parole.

Le téléphone sonna de nouveau. C'était Christopher, son ex. Décidément, les hommes d'Ajing ressemblaient aux troupeaux de nuages qui viennent et s'en vont en même temps. Chris avait appris dans le *South China Morning Post* sa venue à Hong Kong. Il l'appelait pour l'inviter à dîner.

« Désolée, mentit-elle. Je serai prise jusqu'à mon départ pour Pékin. Viens me voir au Salon... Bye. »

Originaire de Hong Kong, élevé à Londres, Chris n'écrivait pas le chinois mais parlait le dialecte cantonais, qu'Ajing ignorait. Les deux amants communiquaient en anglais. Se dissimulant derrière une langue étrangère et une culture européenne, Banane[1], comme

1. Banane : Jaune à l'extérieur, Blanc à l'intérieur.

on appelle en Asie ses semblables, Chris l'avait fascinée. Lui et Hong Kong se ressemblaient · nerveux, ambitieux, complexés.

La Grande-Bretagne lui avait enseigné la fantaisie triste et la folie grave de Shakespeare, et ses parents leurs ancestrales traditions.

La peau de Chris sentait le whisky et la lavande. Il roulait en Porsche. Il aimait dépenser, danser, séduire. Il se soûlait, se droguait. Appelant les étrangers des diables, il méprisait les siens. Après avoir été envoûtée par l'ambiguïté d'un homme écartelé entre l'Orient et l'Occident, Ajing s'était réveillée un matin et avait décidé de rompre.

La taxi glissait sur l'autoroute. Les deux téléphones portables d'Ajing avaient cessé de sonner, et un silence, inhabituel, tomba. Des arbres filaient, la nuit descendait sur la ville.

L'avion à destination de Hong Kong décolla et perça les nuages. Deux hommes, assis à côté d'Ajing, parlaient de la crise économique en Europe. Tout en les écoutant, elle contemplait le paysage à travers le hublot.

Les cumulus, s'étendant à perte de vue, ondulaient, se bousculaient. Leur mouvement hypnotisait la jeune femme. Soudain, de leur profondeur, surgirent quatre cavaliers. Ils franchirent l'espace et s'arrêtèrent tout près de l'avion. Ils descendirent de cheval. Une dame, vêtue d'une robe de mousseline, lui fit signe. Ajing demeurait figée sur son siège. Puis, elle se sentit aspirée par une force irrésistible.

Elle se retrouva sur les nues, les pieds enfoncés dans une couche de vapeur sans fond. Saisie de vertige, elle allait tomber, lorsqu'un jeune homme se précipita pour la soutenir. Visage rond, yeux bien fendus, il était d'une étrange beauté.

Il amena à Ajing un cheval blanc et l'aida à monter en selle. On galopa sur l'immense plaine de nuages jusqu'à ce qu'une montagne de coton noir s'élevât et barrât le chemin. On entreprit, à pied, l'ascension d'un escalier géant.

Toutes les cent marches apparaissait une vaste terrasse bornée d'une balustrade et, au bout de la millième, surgit un palais. De jeunes servantes accueillirent Ajing en ouvrant un grand portail et la conduisirent à la salle du trône. L'Impératrice céleste souhaita la bienvenue à la jeune femme et lui confia l'élevage des vers à soie. Puis, prenant Ajing par la main, elle la guida dans son jardin où un banquet fut donné en son honneur.

Assise à la gauche de l'Impératrice, Ajing vit à sa droite le jeune céleste qui l'avait soutenue. Il était maintenant débarrassé de son habit de cavalier, vêtu d'un manteau sur lequel étaient brodés en relief le soleil et la mer, les fleuves et les constellations. Il souriait à Ajing, qui rougit et détourna la tête pour contempler le paysage. Au loin, un lac s'étendait à perte de vue ; des oiseaux planaient et jouaient avec les vagues. Sous les arbres, les célestes trinquaient, riaient, en dégustant des fruits extraordinaires. Des fleurs pourpres et irisées tombaient des branches. Lorsqu'elles allaient toucher la table, elles se transformaient en papillons et s'envolaient.

Le lendemain, et les jours suivants, Ajing et une vingtaine de jeunes filles allèrent recueillir les feuilles des mûriers enracinés dans les nuages pour les distribuer aux vers à soie. Un matin, Ajing fut appelée par l'Impératrice. Elle lui dit : « J'ai un fils, intelligent, doux et généreux. Vous êtes faits l'un pour l'autre. »

Sans attendre la réponse d'Ajing, les célestes de la cour se précipitèrent pour la féliciter. Ils coiffèrent ses longs cheveux en chignon, l'habillèrent d'une robe de nuages flamboyants, changèrent le brouillard en voile qui lui couvrit le visage et la firent monter dans un carrosse traîné par quatre dragons ailés et transparents. La musique s'éleva.

Sortie du carrosse, Ajing sentit ses pieds nus toucher un sol pavé. Quelqu'un lui prit la main. Elle entendait des murmures, le susurrement des instruments, le bruissement des ailes, le froissement des tuniques de soie. Soudain, tout s'apaisa.

Tenant Ajing par le bout des doigts, l'inconnu la fit marcher et s'asseoir. Il lui ôta son voile. Ajing aperçut des arbres aux larges feuilles ovales qui l'abritaient du soleil. Le ciel se posait sur leurs branchages comme un grand oiseau. En face d'elle, des plantes touffues rampaient sur un mur et parfumaient l'air de leurs minuscules fleurs blanches. Elle reconnut le jeune prince, assis près d'elle. Il la contemplait. Le bonheur d'Ajing fut si grand qu'elle soupira : « Tous les rêves ont une fin, quand s'achèvera le mien ? »

Quelque temps plus tard, Ajing, enceinte, accoucha d'un œuf, qui, une fois éclos, laissa échapper des rayons lumineux. On y trouva un garçon. Buvant du miel mélangé à la rosée du matin, l'enfant grandissait lentement : sa croissance était dix fois plus longue que celle des enfants terrestres.

Ajing vécut dans la félicité céleste jusqu'au jour où elle découvrit son premier cheveu blanc. Elle se souvint alors que le temps avait consumé sa vie comme un bâton d'encens. Sa force diminuait, des rides couvraient peu à peu son front, son dos se courbait, sa vue se troublait. Tourmentée par le spectre d'une séparation prochaine, horrifiée par la flétrissure de la vieillesse, elle se réfugia dans la solitude.

Ce jour-là, Ajing était assise sous un mûrier dont les fleurs tombèrent sur ses cheveux blancs et sur sa robe. Tournant lentement le rouet, elle filait de la soie. Son jeune époux fit son apparition. Il lui demanda tristement pourquoi elle s'éloignait de lui. Elle leva la tête. Comme au premier jour de leur rencontre, elle fut émue par sa beauté. Des larmes emplirent ses yeux.

Ajing s'affaiblit et bientôt ne put plus marcher. Un matin, allongée sur le lit, elle appela son fils qui jouait dans le jardin. Après un long moment, l'enfant vint à elle en riant. Il posa dans ses mains une couronne de saule pleureur.

Elle sourit.

« Je vais bientôt partir en voyage, lui dit-elle Sois sage et courageux, obéis à ton père. Quand tu penseras à moi, quand tu seras triste, tu iras te promener sur l'arc-en-ciel. Tu verras à tes pieds la terre vaste et féconde, où ta mère est née, où elle est retournée. »

L'enfant hocha la tête.

« Va chercher Papa, dis-lui de venir. »

Il partit en courant.

Elle se recoucha et attendit. Le calme qui régnait dans le palais commençait à la submerger. Il emplissait son cœur comme une source. Serrant la couronne contre sa poitrine, Ajing soupira et ferma les yeux.

Ajing entendit qu'ils venaient d'atterrir à Hong Kong. Elle ouvrit les yeux et vit son voisin détacher sa ceinture de sécurité, se lever et prendre son bagage.

L'attaché de presse vint la chercher à l'aéroport. Dans la voiture, il lui montra les articles et la publicité parus dans les journaux locaux. Il lui communiqua ses heures d'interview, de passages télévisés, de cocktails de gala. Ajing semblait distraite.

Arrivée dans sa chambre d'hôtel, elle fit couler un bain. Elle avait exactement vingt minutes pour se baigner, s'habiller, se maquiller avant de recevoir les journalistes.

Ajing ouvrit sa valise.

Entre deux robes, elle aperçut une couronne fanée de saule pleureur.

DU MÊME AUTEUR

Aux Éditions Grasset

LES QUATRE VIES DU SAULE, 1999, *prix Cazes-Brasserie Lipp*, (Folio n° 3543)

LA JOUEUSE DE GO, 2001, *prix Goncourt des Lycéens* (Folio n° 3805)

Aux Éditions du Rocher

PORTE DE LA PAIX CÉLESTE, *bourse Goncourt du premier roman, prix de la Vocation et prix du Nouvel An chinois*, 1998, (Folio n° 3316)

Aux Éditions William Blake & Co

LE VENT VIF ET LE GLAIVE RAPIDE, recueil de poèmes, 1999

Aux Éditions Albin Michel

LE MIROIR DU CALLIGRAPHE, 2002

Composition Nord Compo.
Impression Société Nouvelle Firmin-Didot
à Mesnil-sur-l'Estrée, le 7 janvier 2003.
Dépôt légal : janvier 2003.
1ᵉʳ dépôt légal dans la collection : mai 2001.
Numéro d'imprimeur : 62495.
ISBN 2-07-041461-2/Imprimé en France.